ALS HET HART LUISTERT

Truus van der Roest

Als het hart luistert

VCL serie

ISBN-10: 90 5977 169 9
ISBN-13: 9789059771697
NUR 344

© 2007, VCL-serie, Kampen
Omslagillustratie: Jack Staller
Omslagbelettering: Van Soelen, Zwaag
www.vclserie.nl
ISSN 0923-134X

1

Als Tineke Berends tegen vier uur in de namiddag constateert dat de camper waarmee Job en zij vanmorgen in alle
vroegte op stap zijn gegaan, zojuist het dorp is binnengereden
waar zij het weekend hopen door te brengen, kijkt zij hem
zichtbaar teleurgesteld aan.

„Ik snap nog steeds niet wat jij na al die jaren in deze nego-
rij denkt te vinden," merkt zij hoofdschuddend op. „Het lijkt
wel of de tijd hier heeft stilgestaan en met bekenden van vroeger heb je geen enkele binding meer, dus wat wil je nou?
Volgens mij is er niet eens een fatsoenlijke staanplaats te vinden."

„Ach…" Terwijl Job een van de smalle dorpsstraten inslaat
haalt hij zijn schouders op.

„Misschien valt het allemaal nog wel mee en als dat niet het
geval is, proberen wij het gewoon een paar kilometer verderop." Omdat die laatste woorden er wat aarzelend zijn uitgekomen, lijkt bij Tineke een soort argwaan te groeien.

„Ik maak mij sterk dat jij wel degelijk een bedoeling hebt met
dit wonderlijke uitje Job, anders zou je er niet over hebben
gepiekerd deze kant op te gaan. Soms heb ik het gevoel dat je
hier herinneringen hebt liggen die je toch niet helemaal onver-
schillig laten." Omdat Job die laatste opmerking niet beantwoordt, blijft Tineke met een verongelijkt gezicht doorzeuren.

„Een onbezorgde jeugd heb je hier in ieder geval nooit gehad.
Hoe vaak heb je mij niet verteld dat je met je zeventiende jaar
al helemaal op eigen benen stond."

„Ik weet niet eens meer of ik daar zo erg onder heb geleden,"
stelt Job wat afwezig vast. „Het heeft mij in ieder geval
geleerd dat je in zo'n situatie beter niet bij de pakken neer
kunt gaan zitten."

Omdat Tineke de verhalen over zijn moeizame jeugd inmiddels tot in detail kent, schudt zij ongeduldig haar hoofd.

5

„En toch begrijp ik nog steeds niet waarom je per se hierheen wilde!"

Opnieuw ontwijkt Job een rechtstreeks antwoord, maar de vastbesloten trek om zijn mond bewijst dat hij daarover wel degelijk zijn eigen gedachten heeft.

Als zij er uiteindelijk in slagen om op een verlaten stuk weiland een plek te vinden voor hun camper, blijkt Tineke nog steeds geen vrede te hebben met de situatie.

„Wat ben je nou eigenlijk van plan?" Na de maaltijd die zij in een handomdraai heeft klaargemaakt, kan zij het toch niet laten Job opnieuw aan de tand te voelen over zijn bedoelingen met dit weekend. Dit keer is het echter meer bezorgdheid dan ergernis die in haar vraag doorklinkt, omdat zij zo langzamerhand wel heeft doorgekregen dat hij iets in de zin heeft.

Nog een ogenblik blijft Job zwijgend voor zich uitkijken. Dan zoeken zijn ogen schuldbewust die van Tineke. „Ik heb altijd gedacht dat je de moeilijke dingen in het leven maar zo gauw mogelijk moest zien te vergeten," bekent hij aarzelend, „totdat ik vorige week een krant onder ogen kreeg waarin ik een rouwadvertentie tegenkwam die mij zo letterlijk confronteerde met mijn verleden, dat ik er nog steeds een beetje van ondersteboven ben."

„Hè?" Niet-begrijpend staart Tineke hem aan. „Daar heb je mij niets over verteld." Omdat zij nu pas merkt hoe gespannen Job erbij zit besluit zij maar gelijk de koe bij de horens te pakken. „Met eventuele familieleden van je kan dat niets te maken hebben, want die heb je hier niet."

Job geeft niet direct antwoord. Het is hem aan te zien dat hij er moeite mee heeft zijn zojuist gedane uitleg toe te lichten. Na nog een ogenblik te hebben gezwegen verklaart hij echter ronduit: „De vrouw op wie die advertentie sloeg was de moeder van mijn vroegere vriendin."

„Nou zeg!" Als door de bliksem getroffen staart Tineke hem aan. Haar puzzelboek dat zij al tevoorschijn had gehaald om de avond mee te vullen is ze op slag vergeten.

„Ik wist wel dat ik niet je eerste liefde was," probeert zij ten slotte de gevoelens van pijnlijke verbazing die Jobs bekentenis bij haar teweeg hebben gebracht, onder woorden te brengen, „maar niet dat het wel en wee van die vroegere vriendin je blijkbaar toch nog iets doet."

Hoewel het niet direct als een verwijt klinkt, voelt Job wel aan dat hij aan Tineke verplicht is om eindelijk open kaart met haar te spelen. „Ik heb jarenlang elke gedachte aan die periode in mijn leven de kop weten in te drukken," bekent hij met onvaste stem, „maar door dat overlijdensbericht kwamen er ineens weer zoveel herinneringen naar boven dat ik steeds meer het gevoel kreeg die zaak eindelijk eens te moeten afronden. Dat is namelijk nooit gebeurd."

Omdat vooral die laatste woorden er wat verbitterd zijn uitgekomen, beseft Tineke onmiddellijk dat het hier om een episode uit Jobs leven gaat waarover hij inderdaad nooit met haar heeft willen praten. Vooral de pijn die Job daarover na al die jaren nog schijnt te voelen dwingt haar als het ware om op de door hem aangeroerde kwestie in te gaan. „Waarom ging het uit tussen jullie?"

Na nog een ogenblik te hebben geaarzeld verklaart Job onomwonden: „Haar moeder mocht mij niet en daarom heeft zij er letterlijk alles aan gedaan om ons uit elkaar te drijven. Wat er zich in die tijd in dat gezin heeft afgespeeld ben ik nooit te weten gekomen, maar van de ene dag op de andere verdween Marijke uit mijn leven zonder ook maar een enkel bericht achter te laten. Uiteindelijk ben ik er na veel moeite achter gekomen dat zij om de een of andere duistere reden halsoverkop naar een tante in Duitsland was vertrokken, maar ik had wel het nakijken!"

„Tjonge!" Zonder het toe te willen geven merkt Tineke dat Jobs verhaal haar toch aangrijpt. Bijna ongelovig kijk zij hem aan. „Was dat echt het einde van jullie relatie?"

Job knikt bevestigend. „Niemand van haar familie wilde

mij zeggen waar zij te bereiken was."

„En jij hebt je zomaar bij dat feit neergelegd?" Verbazing en verwijt strijden om de voorrang.

„Natuurlijk niet!" De gedachte alleen al brengt weer een zekere spanning bij Job teweeg. „Maar alle pogingen die ik daarna nog heb ondernomen om weer met Marijke in contact te komen liepen op niets uit. Tot een afrondend gesprek tussen ons is het dus nooit meer gekomen."

„Dat moet inderdaad een afknapper voor je zijn geweest," probeert Tineke alsnog begrip op te brengen voor de gemengde gevoelens waarmee Job kennelijk nog steeds op die gebeurtenis in zijn leven terugkijkt. Toch kan ze het niet laten haar twijfels uit te spreken. „Volgens mij kan die vroegere vriendin van jou nooit een sterke persoonlijkheid zijn geweest. Laat het waar zijn dat die moeder de oorzaak is geweest van haar vertrek uit je leven, dan had zij in ieder geval zelf zo flink moeten zijn om jou daarover tekst en uitleg te geven."

„Snap je nou dat die hele geschiedenis weer voor mij ging leven toen ik vorige week dat bewuste overlijdensbericht onder ogen kreeg?"

Ietwat bezorgd kijkt Tineke hem aan. „Volgens mij ben je daardoor inderdaad van slag geraakt. Je was de afgelopen dagen zo afwezig." Terwijl zij het zegt lijkt ze zich pas goed bewust te worden van de ernst waarmee Job blijkbaar nog altijd tegen die trieste gebeurtenis in zijn leven aankijkt. „Gedane zaken nemen geen keer, Job!" probeert zij hem daarom met klem bij de realiteit van zijn huidige bestaan te bepalen. „Je wilt me toch niet gaan vertellen dat je van plan bent je het komende weekend alsnog in die kwestie te gaan verdiepen? Dat heeft geen enkele zin."

Omdat Job niet direct antwoordt, lijkt in Tinekes hart de onrust met de minuut te groeien. „Als je alleen daarom hiernaartoe bent gegaan maak ik liever gelijk rechtsomkeert." De onverwachte scherpte in haar stem maakt hem duidelijk dat zij meent wat zij zegt. En dat brengt hem tot het besef dat hij haar niet langer in het ongewisse kan laten over zijn bedoeling met dit uitje. „Ik zal je zeggen waar ik op uit ben Tineke!" Schoorvoetend bekent hij haar al enkele dagen geleden telefonisch contact te hebben gezocht met Marijkes oudste broer. „Ik wist dat die knaap inmiddels de slagerszaak van zijn vader had overgenomen. Daarom kostte het mij niet veel moeite zijn telefoonnummer te achterhalen."

Het feit dat Job haar daarover nu pas informeert irriteert Tineke behoorlijk. Zonder echter haar groeiende ergernis op te merken vervolgt hij, zichtbaar geëmotioneerd: „Van hem hoorde ik dat Marijke in verband met het overlijden van haar moeder tijdelijk was overgekomen en hier nog blijft tot alle zakelijke besognes rondom dat gebeuren zijn afgehandeld. En dat geeft mij misschien wel de kans om haar weer te ontmoeten."

Sprakeloos staart Tineke hem aan. „Je meent het niet!" Kennelijk kost het haar de grootste moeite om Jobs redenering serieus te nemen. „Het is toch zinloos om de dingen die er in het verleden tussen jullie zijn gebeurd weer te gaan oprakelen!"

Maar met een zekere beslistheid grijpt Job haar hand. „Dat lijkt misschien zo, Tineke, maar na Marijkes onverwachte vertrek zijn er in dit dorp zoveel twijfelachtige verhalen over mij verteld, dat ik er geen enkele behoefte meer aan had hier ooit nog mijn gezicht te laten zien. Totdat ik die rouwadvertentie onder ogen kreeg. Vanaf dat moment kwam de gedachte in mij op dat ik Marijke misschien toch nog een keer te spreken zou kunnen krijgen om eindelijk in alle rust achter het gebeurde van destijds een punt te kunnen zetten."

„Dus daarom wilde je deze kant op." Terwijl Tineke hem ontgoocheld aanstaart begint een gevoel van onmacht zich van haar meester te maken. „Dat belooft dan een leuk weekend worden!" Het cynisme dat in haar stem doorklinkt laat aan duidelijkheid niets te wensen over. „Ik denk dat je mij maar beter gelijk op de trein naar huis kunt zetten, dan kun jij tenminste ongehinderd achter je vroegere vriendin aangaan. Waarom je dat na al die jaren nog wilt is mij een raadsel."

„Dat heb ik mijzelf ook afgevraagd." Vertwijfeld schudt Job zijn hoofd. „Maar door die rouwadvertentie kwam er ineens weer zoveel oud zeer bij mij naar boven, dat ik daarmee voorgoed wil afrekenen. Nu Marijkes moeder er niet meer is ligt het voor haar misschien wat gemakkelijker om mij alsnog uitleg over het een en ander te geven."

„Wat denk je daarmee te bereiken?" Tot het uiterste gespannen buigt Tineke zich naar hem toe. Pas op dat moment lijkt er iets van begrip tot Job door te dringen voor de weerstand die Tineke tegen zijn plan heeft. Met een begrijpend gebaar pakt hij haar hand. „Alles wat ik hoop is: eindelijk dat onopgeloste hoofdstuk in mijn leven op een bevredigende manier te kunnen afsluiten."

„En jij denkt dat die Marijke na al die jaren nog behoefte heeft aan een gesprek met jou?"

Job schudt zijn hoofd.

„Nee, maar die behoefte heb ik in ieder geval wel!"

Het is Tineke aan te zien dat zij niet bepaald gelukkig is met het plan dat Job de afgelopen week in zijn eentje heeft lopen uitbroeden. Aan de andere kant is zij echter reëel genoeg om te beseffen dat deze zaak blijkbaar voor hem zo belangrijk is, dat hij die, koste wat het kost, tot een oplossing wil brengen.

„Heeft die Marijke na jou nog een andere man gevonden?" Omdat Tineke haar vraag wat weifelend heeft gesteld, voelt Job zich onmiddellijk geroepen haar te verzekeren daarover geen zinnig woord te kunnen zeggen. „Dat heb ik haar broer niet gevraagd omdat ik daarin niet meer geïnteresseerd ben."

„Nou ja... als je het zo ziet..."

Zichtbaar opgelucht dat Tineke in ieder geval begrip lijkt te hebben voor zijn overwegingen pakt Job zijn mobieltje. „Ik heb met Marijkes broer afgesproken dat hij haar zou benaderen voor het maken van een afspraak. Ik vermoed dat hij

inmiddels wel weet hoe zij op mijn verzoek heeft gereageerd, dus lijkt het mij het beste dat ik hem daarover nog even bel."
„Als je mij eerder had verteld wat je voor dit weekend van plan was had ik je met plezier alleen op stap laten gaan," kan Tineke toch niet nalaten haar ergernis opnieuw te laten blijken. „Wat valt er voor mij hier nog te beleven als jij zo je eigen programma hebt?"
Terwijl Job nog bezig is contact te zoeken met Marijkes broer ruimt Tineke wat ontgoocheld haar puzzelboek op. Zij heeft er geen zin meer in zich daarin vanavond nog te verdiepen. Als zij merkt dat er op Jobs telefoontje wordt gereageerd, vallen haar handen stil en blijft zij met bonzend hart wachten tot het gesprek is afgelopen.
„En?" probeert zij Job onmiddellijk nadat deze de verbinding heeft verbroken aan de tand te voelen," heeft die man nog iets voor je kunnen bereiken?"
Zichtbaar overrompeld door het zojuist gehoorde nieuws laat Job haar weten dat Marijke zich, na lang aarzelen, inderdaad bereid heeft verklaard hem morgenochtend te ontvangen.
„Nou, dan heb jij je zin!"
Pas als Tineke merkt hoezeer het telefoongesprek Job heeft aangegrepen, probeert ze wat meer begrip op te brengen voor de spanning die hem beheerst. „Zie je ertegen op die vrouw weer te ontmoeten?"
„Natuurlijk!" Met een nerveuze beweging strijkt hij z'n hand door zijn haar. „Ik weet tenslotte niet hoe zij op mijn komst zal reageren. Vergeet niet dat ik haar wil aanspreken op een zaak waarin waarschijnlijk haar moeder een beslissende rol heeft gespeeld. Dat kan dus best pijnlijk worden."
Nadat Tineke hem begrijpend heeft toegeknikt realiseert ze zich plotseling wat deze afspraak voor haar betekent. „Ik heb eerlijk gezegd weinig zin om hier morgen, als jij weg bent, in mijn eentje te blijven rondhangen. Misschien dat ik in die tijd wel wat in het dorp ga rondneuzen. Er zullen toch wel een paar winkels zijn waar ik even binnen kan lopen."

Maar daarin moet Job haar teleurstellen. „Op die twee of drie zaken hier ben je zo uitgekeken. Ik denk dat het beter is om in het koffiehuis tegenover de kerk op mij te blijven wachten. Dan weet ik tenminste waar ik je kan vinden als ik met Marijke ben uitgepraat."

Vroeger dan anders gaan zij die avond naar bed. Job is met zijn gedachten bij het bezoek dat hij morgen wil gaan afleggen, terwijl Tineke nog steeds met allerlei onbeantwoorde vragen zit.

Typisch toch, dat Job haar nu pas had verteld wat hij van plan was. Het zou toch voor de hand liggen als hij haar direct over die bewuste rouwadvertentie in vertrouwen had genomen! Of was hij misschien bang geweest voor een negatieve reactie van haar kant?

Leuk was het natuurlijk niet om te bedenken dat het uitgerekend zijn vroegere vriendin was met wie hij morgen een gesprek wilde hebben. Maar begrijpelijk wel! Zelf zou zij er ook moeite mee hebben gehad als haar een dergelijk onrecht was aangedaan. Wonderlijk, dat zoiets na jaren, door een toevallige gebeurtenis, weer naar boven kwam. Het was te hopen dat Job door die ontmoeting met Marijke niet al te veel uit zijn doen zou raken. Ooit had hij tenslotte van haar gehouden.

Het is ver na middernacht als Tineke, doodmoe van het prakkiseren, in slaap valt.

Op dat moment is Job echter nog klaarwakker. In zijn hart woelt de onrust om dat wat morgen gaat komen. Tegenover Tineke heeft hij wel toegegeven dat hij tegen dat bezoek aan Marijke opziet, maar hoe moeilijk hij het er in werkelijkheid mee heeft is haar, naar zijn idee, gelukkig ontgaan.

Spijt over zijn voornemen heeft hij niet. Juist omdat er zoveel vragen met betrekking tot hun aanvankelijke liefde voor elkaar onbeantwoord zijn gebleven, beschouwt hij zijn weerzien met haar als een uitgelezen kans om daarover wat meer duidelijkheid te krijgen. Natuurlijk zit de mogelijkheid erin dat zij zal weigeren hem tekst en uitleg te geven over de beweegredenen die zij heeft gehad om plotseling uit zijn leven te verdwijnen. Maar alleen het feit al dat hij zich eindelijk tegenover haar zal kunnen uitspreken over de kwestie die hem destijds zo diep heeft gekwetst, zal genoeg voor hem zijn. Tenslotte mag hij blij zijn enkele jaren later in Tineke zo'n voortreffelijke levenspartner te hebben gevonden. Hun huwelijk is weliswaar kinderloos gebleven, maar juist daardoor zijn zij op een heel aparte manier met elkaar vergroeid geraakt. Hoewel zij er allebei een eigen mening op nahouden en daarover soms eindeloos kunnen bakkeleien, is er in hun relatie nooit sprake geweest van wederzijds onbegrip of blijvende irritatie. Ook nu heeft Tineke, na haar aanvankelijk gemopper over zijn bedoelingen met dit weekend, toch maar weer begrip getoond.

Een andere vrouw zou zo'n hernieuwde kennismaking met een vroegere vriendin misschien niet eens hebben getolereerd. Nou ja, hij is ook niet van plan dat gesprek met Marijke langer te laten duren dan nodig is, maar innerlijk weet hij bijna zeker dat het hem in ieder geval de rust zal geven waarnaar hij zo lang tevergeefs heeft gezocht.

Nadat Job zich nog urenlang onrustig van de ene zij op de andere heeft gedraaid, ontfermt ten slotte de slaap zich ook over hem. Op dat moment begint echter aan de horizon de nieuwe dag alweer te lichten. Een dag die ontegenzeggelijk moeilijk zal worden en zeker de nodige emoties met zich zal meebrengen.

Maar… ook een dag waarin hopelijk veel onopgeloste zaken tot klaarheid zullen worden gebracht, waardoor zowel voor Job als Marijke het verleden naar beider tevredenheid kan worden afgesloten.

2

Als Tineke de volgende morgen op haar dooie akkertje het dorp waar Job is opgegroeid heeft verkend, komt zij tot de slotsom dat de tijd er kennelijk heeft stilgestaan. Zelfs de paar winkels die zij er aantreft ademen nog de sfeer van een halve eeuw geleden. Door hun sobere aankleding vallen ze tussen de ouderwetse rijtjeshuizen nauwelijks op. Maar als zij op een bepaald moment ook de slagerswinkel ontdekt waarin volgens Job de broer van Marijke de scepter zwaait, blijft zij onwillekeurig wat langer voor de etalage dralen. Ze hoopt een glimp te kunnen vangen van het gebeuren in de zaak zelf.

Tot haar verwondering is het er vrij druk. Omdat zij ten slotte haar nieuwsgierigheid toch niet kan bedwingen, besluit zij om gewoon maar eens naar binnen te stappen. Wat vleeswaren voor de avondboterham kan zij altijd wel gebruiken. Dan heeft zij in ieder geval de kans om een indruk te krijgen van de man die voor Job dat bezoek aan zijn zus heeft geregeld. Na nog een ogenblik te hebben geaarzeld, duwt zij vastbesloten de winkeldeur open om met een ondoorgrondelijk gezicht haar entree te maken.

Ze is blij dat er nog wat mensen voor haar zijn. Dat geeft haar immers de gelegenheid niet alleen haar oren te spitsen, maar ook haar ogen extra goed de kost te geven. De baas van de zaak blijkt schik in zijn werk te hebben en tevens een vlotte prater te zijn.

Als hij een kwartier later bezig is de gevraagde vleeswaren voor haar klaar te maken, glijdt zijn blik vragend over haar gezicht. „U bent hier zeker met vakantie, of heb ik dat mis?"

„Zomaar een dagje hoor," probeert Tineke zich op de vlakte te houden.

„Wie komt er nou voor één dag naar dit dorp!" Quasi plagerig kijkt de man haar aan. „U hebt zich toch wel gerealiseerd

14

dat het hier, landelijk gezien, een paradijsje is! Ik zou er tenminste voor geen goud vandaan willen."

„Dan zal uw klandizie altijd wel zo'n beetje hetzelfde blijven," probeert Tineke zijn enthousiasme, dat haar wat gewild aandoet, te temperen. „Echt storm zal het hier niet lopen."

De man lacht zorgeloos. „Zolang ik kan rekenen op de trouw van mijn dorpsgenoten loopt dit zaakje als een trein, hoor! In elk geval houd ik er een prima bestaan aan over."

Een ogenblik kijkt Tineke de man argwanend aan.

„Van concurrentie hebt u in ieder geval geen last," constateert zij dan ietwat spottend, „dat alleen al moet voor u een hele rust zijn."

Maar het volgende ogenblik bedenkt zij zich. Zij is hier toch niet binnengestapt om deze man in het narnas te jagen, maar om informatie van hem los te krijgen. Terwijl zij haar portemonnee uit haar tas opdiept om af te rekenen, informeert zij quasi belangstellend: „Woont u hier al lang?"

„Nou en of!" Zichtbaar ingenomen met de interesse die Tineke voor zijn persoonlijke omstandigheden aan de dag legt, knikt de man haar toe. „Ik ben in dit dorp geboren, mevrouw, en mijn hele familie woont hier!"

Op dat moment lijkt Tineke zich niet langer te kunnen inhouden. Terwijl zij met gespeelde verbazing naar de naam op het zakje met vleeswaren dat de man haar inmiddels heeft overhandigd wijst, stelt zij met bonzend hart de vraag die haar al minutenlang op de lippen heeft gebrand. „Bent u dan misschien de broer van Marijke van Zeben?"

Tot haar verwondering verstart het gezicht van de man ter plekke. „Waarom wilt u dat weten?"

Hoewel Tineke begrijpt dat haar vraag de aanvankelijke gemoedelijkheid op slag heeft doen verdwijnen, weigert zij zich door de wantrouwende blik die hij haar toewerpt van haar stuk te laten brengen. Gewild luchtig haalt zij haar schouders op. „Och… zoveel belang heb ik er niet bij, maar het viel mij op dat u allebei dezelfde achternaam hebt. Dat zou

15

er in ieder geval op kunnen duiden dat u familie van haar bent."

In de winkel heerst opeens een soort geladen stilte. Tineke beseft dat de man er niet bepaald happig op is om met zijn antwoord voor de dag te komen. Maar als hij merkt dat zij hem vragend blijft aankijken, schudt hij wrevelig het hoofd.

„Marijke is inderdaad mijn zus, maar echt contact hebben wij de afgelopen jaren nauwelijks met elkaar gehad."

De afweer die in zijn woorden doorklinkt roept bij Tineke een gevoel van stijgende spanning op. Daarom besluit zij niet langer om de zaak heen te draaien.

„Dan denk ik dat u het bent geweest die mijn man telefonisch te woord heeft gestaan toen hij kortgeleden naar haar informeerde. Hij kende uw zus van vroeger en wilde graag weten hoe zij het maakt."

„Uw man? Moet ik daaruit opmaken dat u de vrouw bent van Job Berends?"

De vraag is er op zo'n denigrerende toon uitgekomen dat Tineke zich onmiddellijk verplicht voelt het voor Job op te nemen. „Jazeker, en daar ben ik tot op heden heel dankbaar voor. Een betere man dan hij had ik nooit kunnen treffen."

Met een medelijdend lachje schudt Marijkes broer zijn hoofd. „'t Is maar hoe je 't bekijkt. Ik denk dat de luitjes die hem hier hebben meegemaakt daarover wel een andere mening hebben."

„Hoezo?" Nu pas dringt het tot haar door dat Job gisteravond geen woord te veel heeft gezegd over de negatieve verhalen die hier destijds over hem zijn rondgegaan.

Vanachter de toonbank werpt de man haar een snelle, onderzoekend blik toe. „Heeft Job u daarover nooit in vertrouwen genomen? Neemt u maar van mij aan dat Marijke hem destijds niet voor niets de bons heeft gegeven."

Het is die laatste bewering waardoor Tineke alle kleur uit haar gezicht voelt wegtrekken.

Even heeft zij het idee dat het zinloos is met deze man een

discussie aan te gaan over Jobs reputatie, waarop volgens haar niets is aan te merken. De negatieve mening die hij en zijn vroegere dorpsgenoten zich daarover kennelijk hebben gevormd, moet alles te maken hebben gehad met een totaal vertekende werkelijkheid.

Maar vooral door die laatste gedachte kan Tineke het niet laten Job te verdedigen. „Als steeds maar dezelfde praatjes rondgestrooid worden is het logisch dat mensen ze op den duur geloven," gooit zij er onbeheerst uit, „en daarom is het goed dat Job daarover eindelijk tegenover uw zuster zijn mond open kan doen."

Marijkes broer werpt haar een wat medelijdende blik toe. „Die kans heeft zij hem inderdaad willen geven, maar u hoeft er niet op te rekenen dat zijn bezoek haar mening over hem zal veranderen. Daarvoor is er tussen die twee te veel gebeurd."

Hoewel die laatste constatering Tineke even van haar stuk dreigt te brengen, probeert zij koste wat het kost Jobs naam hoog te houden. „Ik ken mijn man lang genoeg om te weten dat hij een uiterst betrouwbaar mens is, die zeker tegenover iemand van wie hij houdt, niet zomaar zijn boekje te buiten zal gaan."

Op dat moment wordt hun gesprek door binnenkomst van een nieuwe klant afgebroken. Als Tineke na een vluchtige groet de winkel heeft verlaten blijft zij buiten een ogenblik weifelend staan. Na haar resolute optreden van zo even lijkt zij nu toch iets minder zeker van zichzelf te zijn geworden. Het is alsof die laatste opmerking van Marijkes broer zich heeft vastgehaakt in haar geest.

„Er is tussen die twee te veel gebeurd!" hamert het in haar hoofd. Zelfs als zij een ogenblik later het koffiehuis ontdekt waar zij Job straks volgens afspraak weer hoopt te ontmoeten, blijven die woorden haar bezig houden. Niet dat zij twijfelt aan Jobs uitleg over de abrupte manier waarop zijn vriendin hem destijds de rug heeft toegekeerd, maar toch moet er toen iets zijn gebeurd waardoor die vrouw haar vertrouwen in hem definitief was kwijtgeraakt.

Over de inhoud van de verhalen die destijds over hem in het dorp waren rondgegaan had Job met geen woord gerept. Misschien omdat dit bij hem te veel pijnlijke herinneringen zou hebben opgeroepen? Of... was er een andere reden geweest zich daarover niet uit te laten?

Diep in gedachten stapt zij het koffiehuis binnen en zoekt een tafeltje bij het raam, dat uitzicht geeft op het ouderwets ogende dorpspleintje. Zij betrapt zichzelf erop dat het gesprek met Marijkes broer, waarop zij nota bene zelf heeft aangestuurd, haar inmiddels behoorlijk dwars is gaan zitten. Daarom besluit zij zo min mogelijk in te gaan op de pogingen die de eigenaresse van het koffiehuis doet om een praatje met haar aan te knopen, al snapt zij best dat het voor die vrouw een hele afleiding is een onbekende over de vloer te hebben.

Dat zij zich daarin niet heeft vergist blijkt opnieuw als Tineke, net nadat zij een tweede kop koffie heeft besteld, Job ziet binnenkomen. Nog maar nauwelijks heeft hij zich met een zucht tegenover haar op een stoel laten zakken of de eigenaresse komt al met een zekere gretigheid op hem af om zijn bestelling op te nemen.

Nog voor zij hem echter goed en wel heeft begroet lijkt een zekere verbazing zich van haar meester te maken. „Ken ik u?" informeert zij, zichtbaar overrompeld door zijn verschijning.

Een ogenlik lijkt Job te aarzelen. Maar als hij merkt dat de vrouw er absoluut van overtuigd is hem meer te hebben gezien, knikt hij haar verstrooid toe. „Misschien... vroeger heb ik wel in deze omgeving gewoond, maar dat is al zo lang geleden." Met een vormelijk gebaar steekt hij zijn hand naar haar uit. „Job is mijn naam, Job Berends." Op het gezicht van de vrouw tekent zich nu duidelijk een soort verbazing af die Tineke het gevoel geeft dat die mededeling haar beslist niet onberoerd laat.

„Als ik het niet dacht! Jij bent Job, de pleegzoon van onze

vroegere notaris. Ik herkende je aan je oogopslag, want daarin is na al die jaren niets veranderd." Hoofdschuddend blijft zij hem aankijken. „Dat ik het niet gelijk door had begrijp ik nog niet, maar volgens mij komt dat omdat je wel de nodige jaartjes ouder bent geworden." Terwijl zij een zijdelingse blik op Tineke werpt, buigt zij zich bijna onopvallend naar Job toe. „Je wist zeker dat Marijke hier een paar weken geleden ook weer is komen aanwaaien."

Omdat Job merkt dat die opmerking Tineke zichtbaar in verlegenheid brengt, probeert hij de vrouw een slag voor te zijn door zo rustig mogelijk op haar veronderstelling in te gaan. „Ik weet meer dan jij denkt, vrouw Kramer, ik heb Marijke het afgelopen uur zelfs persoonlijk gesproken!"

De beslistheid waarmee Job de vrouw van repliek dient lijkt Tineke onwillekeurig wat meer zelfvertrouwen te geven. Terwijl zij over de tafel heen Jobs hand pakt recht zij haar rug. „Volgens mij heeft Job het hier na zijn breuk met Marijke niet gemakkelijk gehad. Daarom kan het enorm verhelderend zijn als je bepaalde gebeurtenissen na jaren nog eens in alle rust met elkaar kunt doornemen."

„Tjonge!" Met iets van ontzag kijkt de vrouw van de een naar de ander. „Jullie zijn een apart stel, hoor!" Dan knikt zij Job veelbetekenend toe. „Wees maar blij dat Marijke niet met dat kind van je is blijven zitten, anders had je daar misschien je leven lang voor moeten opdraaien."

Op dat moment maakt het doordringende gerinkel van de telefoon een einde aan hun gesprek. Maar voor Job betekent dit wel dat zijn kans om zich onmiddellijk tegen de dwaasheid van die laatste opmerking te verweren is verkeken. De geschokte blik die Tineke hem toewerpt bevestigt zijn gevoel dat het onverantwoord is haar nog langer in het ongewisse te laten over de roddels die ook hem er destijds toe hebben gebracht dit dorp de rug toe te keren.

„Straks vertel ik je wel hoe de vork in de steel zit," probeert hij haar gerust te stellen. Dat lukt echter maar ten dele, omdat

19

de pijn die zij in zijn ogen leest niet valt te verdoezelen. Ook het feit dat Job kennelijk nog steeds met zijn gedachten bij het bezoek is dat hij vanmorgen heeft afgelegd verontrust haar, hoewel zij best snapt dat het niet bepaald verstandig zou zijn hem daarover direct aan de tand te voelen.

Bewust probeert zij daarom de spanning die onwillekeurig in de afgelopen minuten tussen hen is ontstaan te negeren. „Wat doen we? Wil jij voor jezelf nog iets bestellen voor we hier vertrekken?" Hoewel zij het zo rustig mogelijk heeft gevraagd lukt het niet haar toenemende nervositeit te verbloemen. Maar Job lijkt nog steeds zo op te gaan in zijn eigen gedachtegang dat de trilling in haar stem hem nauwelijks opvalt. Afwerend schudt hij zijn hoofd. „Ik wil hier liever zo gauw mogelijk vertrekken. Er is vanmorgen zoveel op mij afgekomen dat ik gewoon tijd nodig heb om alles te verwerken."

Zijn reactie sterkt Tineke in de overtuiging dat zij hem op dit moment inderdaad niet lastig moet vallen met eventuele vragen. „Oké, dan gaan wij nu terug," beslist zij, „en kruip ik voor de verandering achter het stuur." Het feit dat Job daar geen enkel bezwaar tegen heeft maakt haar opnieuw duidelijk dat het gesprek met Marijke hem meer heeft gedaan dan hij aanvankelijk had vermoed.

Pas als Job en zij in de veilige beslotenheid van hun camper een eenvoudige maaltijd hebben gebruikt en er voorlopig niets meer te doen valt, komt Tineke ertoe naar zijn ervaringen van de afgelopen morgen te informeren. „Hoe is die ontmoeting met je vroegere vriendin verlopen, Job?" Weliswaar heeft zij die vraag zo rustig mogelijk gesteld, maar aan het bonzen van haar hart voelt zij dat zijn antwoord voor haar wel degelijk van belang is.

Zijn gezicht betrekt. „In eerste instantie leek zij niet bepaald blij te zijn met mijn komst."

„Nou ja…" Quasi nonchalant haalt Tineke haar schouders op. „Zoiets ligt voor de hand. Je had toch niet gedacht dat die vrouw na al die jaren nog bepaalde gevoelens voor je had? Ze zal er destijds heus niet voor niets vandoor zijn gegaan." Omdat Job niet direct antwoordt, valt er enkele minuten lang een haast benauwde stilte tussen hen. Pas als hij Tineke als om hulpzoekend aankijkt, ziet zij dat er tranen in zijn ogen staan. Geschrokken pakt zij over de tafel heen zijn hand. „Jongen toch, dat het je nu nog zo aangrijpt! Bij jou zat de liefde voor Marijke dus kennelijk heel diep." Ineens schiet haar het gesprek in het koffiehuis te binnen. Met een ruk trekt zij haar hand terug.

„Maar wat die vrouw in dat koffiehuis bedoelde met haar opmerking over dat kind waarvoor jij gelukkig niet hoefde op te draaien, begrijp ik nog steeds niet. Waar had dat mens het over?" Vooral die laatste woorden zijn er bij Tineke zo dringend uitgekomen dat Job beseft haar daarover eerlijk te moeten inlichten.

„Nou kijk," probeert hij met een gevoel van toenemende gêne uit te leggen. „Iedereen in het dorp was er destijds van overtuigd dat Marijkes besluit om zo halsoverkop de benen te nemen, alles te maken had met een ongewilde zwangerschap."

„Maar dat bleek natuurlijk een uit de lucht gegrepen verhaal te zijn," probeert Tineke zichzelf gerust te stellen, terwijl haar blik hem geen moment meer loslaat.

De dreigende stilte die op deze constatering volgt doet haar beseffen dat die misschien toch niet strookt met de werkelijkheid. Pas als het tot haar doordringt dat Job haar hoopvolle opmerking met een ontkennend hoofdschudden heeft beantwoord, is het alsof zij zich vanbinnen langzaam voelt bevriezen. „Het is niet waar Job, zeg dat het niet waar is!" Dat is alles wat zij nog weet uit te brengen als zij hem bij de mouw van zijn shirt pakt. Daardoor lijkt hij weer tot de werkelijkheid te komen. Met toonloze stem verklaart hij: „Marijke was inderdaad in verwachting toen zij naar het buitenland vertrok."

„Néé!" Ontzet staart Tineke hem aan. Haar blik, waaruit eerst ongeloof sprak, straalt nu afkeer uit. „En jij…" barst zij in een vlaag van plotselinge woede los, „jij moet dat hebben geweten terwijl je daarover tegen mij nooit iets hebt gezegd! Dat is toch niet te geloven!" Maar met een snelle beweging legt Job zijn hand op haar mond. „Tot op de dag van vandaag heb ik dat niet geweten, Tineke. In het dorp werd weliswaar direct verondersteld ik die vermoedelijke zwangerschap wel op mijn geweten zou hebben, maar ik had geen enkel bewijs om die verdachtmaking te weerleggen. Een paar weken na Marijkes vertrek heb ik toen uit pure wanhoop ook maar besloten om net als zij, ergens anders een nieuwe start te gaan maken. Ik wilde absoluut niet meer denken aan de slag die ik te verwerken had gekregen en daarom heb ik ook met jou nooit over die tijd gepraat. Ik kon het gewoon niet."

De ernst waarmee Job zich tegenover haar verweert laat Tineke niet helemaal onberoerd. Maar nog steeds begrijpt zij niet waarom hij dan zo-even heeft toegegeven dat Marijke inderdaad zwanger was op het moment dat zij met hem brak. Als Job haar dat uitlegt merkt ze dat het verhaal hem aangrijpt.

„Toen ik Marijke vanmorgen na al die jaren terug zag, leek zij een vreemde voor mij te zijn geworden," bekent hij. „Aanvankelijk was zij nauwelijks bereid om de dingen die er in het verleden waren gebeurd weer op te rakelen. Pas toen ik haar daarover ten slotte toch aan de praat kreeg, leek zij wat te ontdooien. Ik vermoed dat zij de afgelopen jaren een vrij eenzaam bestaan heeft geleid en betrekkelijk naar binnen gericht is gaan leven."

„Maar hoe zat dat dan met die zwangerschap?"onderbreekt Tineke ongeduldig zijn uitleg. „Als dat kind wat zij verwachtte niet van jou was, van wie was het dan wel?"

Jobs gezicht versombert. „Volgens Marijke van een huisvriend die zich, omdat haar moeder hem wel zag zitten, steeds vrijer tegenover haar was gaan gedragen. Op een avond dat hij alleen met haar in huis was heeft hij haar verkracht met alle gevolgen van dien. Om mij de ontgoocheling over dat gebeuren te besparen en zich voorgoed van die man te ontdoen is zij toen van de ene dag op de andere haar ouderlijk huis ontvlucht."

Hoofdschuddend kijkt Tineke hem aan. „Volgens mij heb jij jezelf een heel beroerd weekend bezorgd, Job. Veel reden tot vrolijkheid kan de bekentenis van Marijke je niet hebben gegeven."

„Maar ik ben er wel wijzer door geworden," weerlegt Job haar constatering, „en dat was wat ik wilde." Even stokt hun gesprek omdat Tineke zich ineens herinnert dat de koffie, die zij gelijk na het eten had gezet, nog onaangeroerd in de pot staat. Terwijl zij bezig is een paar mokken vol te schenken praat Job alweer verder. „Ik begrijp nu dat vooral Marijkes moeder de oorzaak is geweest van al die narigheid. Zij heeft destijds alles op alles gezet om haar aan die bewuste huisvriend te koppelen. Nou ja, dat heeft zij geweten, want door de ellende die daaruit is voortgekomen heeft Marijke haar moeder nooit meer durven te vertrouwen."

Uit Tinekes reactie blijkt duidelijk argwaan. „Ik vind het maar een raar verhaal! Weet jij wel zeker of Marijke er alles aan heeft gedaan om die vent van zich af te houden?" De twijfel waarmee zij op Jobs uitleg reageert brengt hem een ogenblik in verwarring.

Maar al na enkele minuten hervindt hij zijn zekerheid. „Wat ik uit haar verhaal heb begrepen is dat zij niet opkon tegen de fysieke kracht waarmee die kerel haar op die bewuste avond te grazen nam."

„En daarvan heeft zij geen aangifte gedaan bij de politie?" Het is duidelijk dat Tineke de situatie die Job haar heeft geschilderd nog steeds niet goed kan plaatsen.

„Als je in een dorp woont waar de mensen gewend zijn elkaar de hand boven het hoofd te houden, begin je met een dergelijk verhaal niet zoveel zonder overtuigende bewijzen," verzucht hij schouderophalend. „Dus toen Marijke eenmaal door had dat zij met haar rug tegen de muur stond heeft zij van het ene moment op het andere besloten alles en iedereen in haar omgeving de rug toe te keren. Volgens haar was dat de enige mogelijkheid om haar toekomst nog enigszins veilig te kunnen stellen." Ondanks de begripvolle manier waarop Job over Marijkes beslissing praat, lijkt Tineke nog steeds de redelijkheid ervan niet te kunnen inzien. „Wat ik maar niet snap is waarom zij jou overal buiten heeft gelaten," laat zij hem een tikkeltje ongeduldig weten. „Jullie vriendschap was het toch waard geweest dat Marijke jou in vertrouwen zou hebben genomen?"

Maar ook dat verweer weet Job te ontzenuwen. „Vergeet niet dat zij, door alles wat er met haar was gebeurd, behoorlijk van de kaart was en geen recht meer meende te hebben op mijn liefde."

Het is duidelijk dat Jobs verhaal zoveel emoties bij hem heeft losgemaakt dat hij er na die laatste onthulling even de tijd voor moet nemen om weer tot zichzelf te komen. Nadat er een minutenlange stilte tussen hen beiden is gevallen, is het echter Tineke die zijn gedachtegang vastbesloten een andere wending probeert te geven. „'t Is maar goed dat je door die ellendige ervaring je leven niet hebt laten vergallen," bepaalt zij hem met een zekere beslistheid bij de werkelijkheid van zijn huidige bestaan. „Het enige wat ik hoop is dat je je zult blijven realiseren dat Marijke geen rol van betekenis meer voor je speelt en er dus geen enkele reden is om, op wat voor manier ook, contact met haar te blijven houden." Dan glijdt er een schaduw over haar gezicht. „'t Is alleen wrang om te moeten vaststellen dat die vrouw je waarschijnlijk wel een kind had kunnen geven terwijl dat mij niet is gelukt."

Maar die opmerking neemt Job nauwelijks serieus. „Soms gaan de dingen in het leven anders dan je verwacht, Tineke. Ook Marijke zou dat kunnen beamen." Aan de verbetenheid waarmee Job het zegt merkt zij dat hij nog veel meer aan de weet gekomen moet zijn dan hij tot nog toe heeft verteld. Maar ook die bijzonderheden wil hij haar niet onthouden. Zichtbaar aangeslagen vervolgt hij daarom zijn verhaal. „Nadat Marijke onderdak had gevonden bij een tante in Duitsland, heeft zij direct een baan als verpleeghulp gezocht. Hoe het is afgelopen met het kind dat zij verwachtte weet ik nog steeds niet. Ik kreeg de indruk dat zij daarover liever niet wilde praten. Maar ik kon wel aan haar merken dat het moederschap ook voor haar een heel twijfelachtige betekenis heeft gekregen."

Onwillekeurig voelt Tineke een huivering door zich heen gaan. Maar het volgende moment staat zij met een ruk op. „Laten we er maar niet meer aan denken, Job. Jij weet nu wat je al jarenlang hebt willen weten, daarmee zul je het in de toekomst toch moeten doen, want ik ben tenslotte de vrouw met wie je getrouwd bent." Die laatste woorden komen er zo nadrukkelijk uit dat ze een waarschuwing lijken in te houden. Maar na alles wat Job vandaag te verwerken heeft gekregen dringt de ernst ervan nauwelijks tot hem door en gaat hij argeloos op Tinekes veelbetekenende constatering in. „Dat is toch het beste geweest wat mij na die pijnlijke ervaring met Marijke is overkomen! Door jou ben ik mij ten slotte weer gelukkig gaan voelen. En dat beschouw ik nog elke dag als een regelrechte zegen!"

Zichtbaar gerustgesteld knikt Tineke hem toe. „Dan stel ik voor om die constatering te bekronen met een wijntje. Na deze enerverende dag hebben wij dat wel verdiend."

Als zij enkele minuten later in de besloten ruimte van hun camper het glas met elkaar heffen, lijkt het alsof de gebeurtenissen van de afgelopen uren even voor hen vervagen. De betekenis die zij voor elkaar hebben is er alleen maar groter op geworden na deze aangrijpende dag.

3

Het is enkele weken later als Tineke en Job tussen de post een kort briefje van Marijke aantreffen waarin zij laat weten dat ze heeft besloten definitief een punt te zetten achter haar verblijf in het buitenland.

Binnenkort hoopt ze op een middelbare school in Drenthe, waar zij inmiddels voor zichzelf een bescheiden boerderijtje heeft gekocht, als lerares Duits een nieuwe start te gaan maken.

„Op haar leeftijd nog?"

Job moet even lachen om Tinekes verbaasde reactie. „Waarom niet? Als je het idee hebt nog zeker twintig jaar in het arbeidsproces te kunnen meedraaien, is zo'n overstap toch een unieke uitdaging!" Maar voor die tegenwerping lijk Tineke niet gevoelig te zijn. „Ik dacht dat Marijke in de verpleging haar draai had gevonden," verklaart zij haar verbazing.

„Jawel..." Job schudt nadenkend zijn hoofd, „maar ik maak me sterk dat zij altijd heeft geweten kwaliteiten te bezitten die daarin nooit aan bod zijn gekomen. Ik vind het bewonderenswaardig hoor, dat zij het aandurft alsnog een totaal ander beroep te kiezen. Reken maar dat daar een fikse studie aan vooraf is gegaan."

Op de een of andere manier lijkt Tineke zich echter toch geroepen te voelen Jobs enthousiasme te temperen. „Denk jij dat het gemakkelijk is om les te geven aan luitjes die veelal denken de wereld in hun zak te hebben! Ik zou de docenten die daarop al zijn afgeknapt niet graag de kost geven!" Maar nog steeds weigert Job haar pessimisme te delen. „Je kunt alle jongelui niet over één kam scheren, Tineke. En al zou je gelijk hebben, dan nog is Marijke slim genoeg om zich tegenover hen te kunnen handhaven."

Hoewel Tineke zich door Jobs optimistisch reactie wel een

beetje op haar plaats gezet voelt, lukt het haar om zich bij zijn mening neer te leggen.

„Wij moeten haar wel een kaartje terugsturen," bedenkt Job. „Zaken als een nieuw huis en een andere baan zijn zeker een felicitatie waard! Na alle spanningen die Marijke in de afgelopen weken in haar ouderlijk huis heeft verwerkt, zal het voor haar een verademing zijn om eindelijk weer een eigen leven te kunnen gaan leiden."

Het steekt Tineke dat Job zo openlijk z'n bewondering laat blijken over de stap die zijn vroegere vriendin heeft genomen. Ze kan het dan ook niet laten om tegen te werpen: „Zij heeft toch zelf besloten om haar moeder tot het einde toe te verzorgen, al begrijp ik nog steeds niet wat haar heeft bewogen om daarvoor uit het buitenland terug te komen. Zo na aan het hart kan die vrouw haar volgens jouw verhaal niet hebben gelegen."

Job moet toegeven dat die veronderstelling inderdaad voor de hand ligt. „Ik vermoed dat het Marijke is gelukt haar eigen gevoelens naar de achtergrond te dringen," merkt hij peinzend op. „Toen zij hoorde dat haar moeder nog maar enkele weken te leven had, zal zij toch bij haar hart te rade zijn gegaan, al zijn het voor haar, naar ik heb begrepen, geen gemakkelijke weken geweest. Tegenover mij heeft zij daarover weliswaar niet zoveel losgelaten, maar aan de manier waarop zij erover praatte kon ik wel merken dat de verhouding met haar moeder tot het einde toe moeilijk is gebleven. Daarvoor was er in het verleden te veel tussen die twee misgegaan."

„Nou ja…" Met een ongeduldige beweging verscheurt Tineke de lege enveloppen van de binnengekomen post. „Laten we er maar niet meer over denken. Het is tenslotte niet onze zaak." Dan schuift zij Job over de tafel Marijkes adresverandering toe. „Zie maar wat je ermee doet. Ik ken die vrouw niet, dus heb ik ook geen belang bij haar. Als jij haar nieuwe adres wilt noteren ga je je gang maar." De wrevelige toon in haar stem ontgaat Job niet. Een ogenblik kijkt hij haar onderzoekend aan. „Je vindt het toch niet vervelend dat ik Marijke vanuit de verte een beetje in het oog wil blijven houden? Ik vermoed dat zij hier momenteel weinig mensen heeft op wie zij terug kan vallen, daarvoor is zij te lang in het buitenland geweest. In ieder geval bewijst die adresverandering dat zij toch op de een of andere manier met ons in contact wil blijven."

„Met ons?" Enigszins geërgerd schudt Tineke haar hoofd. „Met jou zul je bedoelen!" Maar daar is Job het niet mee eens. „Marijke weet dat ik getrouwd ben, Tineke, en zij is er niet de vrouw naar om dat niet te respecteren. Ik denk dat zij het zelfs fijn zou vinden om bij gelegenheid eens kennis met je te maken"

„Mij niet gezien!" Tineke heeft het met zoveel beslistheid gezegd dat Job zijn voorhoofd fronst. „Als je Marijke kende zou je dat niet zeggen!" Tineke lijkt echter niet van plan zich door Job te laten bepraten. „Ik hoef die Marijke niet te kennen," verklaart zij nadrukkelijk. „Het is genoeg dat jij nog één keer aandacht aan haar hebt besteed, maar ik zou het wel prettig vinden als het daarbij bleef. Het heeft geen enkele zin om op een soort vriendschapsverhouding aan te sturen. Bovendien weet ik bijna zeker dat die vrouw en ik elkaar weinig te vertellen hebben, daarvoor lopen onze aspiraties te veel uiteen."

Hoewel de verbaasde blik die Job haar toewerpt Tineke even in verwarring dreigt te brengen, lukt het haar dat niet te laten blijken. Nog voor hij iets kan zeggen vervolgt zij: „Jij weet best dat ik geen studiehoofd ben. En daar heb ik mij nooit voor gegeneerd, maar je snapt toch wel dat ik mij niet kan meten met zo'n intellectueel geschoold figuur als Marijke."

„Wat heb jij ineens?" Zichtbaar verontwaardigd pakt Job haar bij de schouders. „Waar heb je het over? Het is helemaal niet nodig om jezelf zo naar beneden te halen. Als mens ben jij geen haar minder dan zij! Dat jij andere capaciteiten hebt en je daardoor op een andere manier hebt ontplooid maakt toch niet uit! Waarom zou jij je met haar moeten vergelijken? Ik denk dat jij, als het gaat om je persoonlijke situatie, meer op haar voor hebt dan je vermoedt. Vergeet niet dat Marijke al jaren betrekkelijk alleen op de wereld heeft gestaan. Haar broers hebben zich na haar vertrek uit het dorp nooit meer iets aan haar gelegen laten liggen.

Pas toen hun moeder ziek werd en dag en nacht verzorging nodig had wisten zij haar te vinden. Maar nu alles achter de rug is, is het weer gedaan met die belangstelling.

In vergelijking met Marijke heb jij toch een veel rijker leven gehad! Hoe lang zijn wij al niet samen? Al die jaren heb je geweten dat ik achter je stond en heb je op je eigen manier zin aan je bestaan kunnen geven."

„Jawel…" Terwijl Tineke ongeduldig Jobs handen wegduwt probeert zij hem duidelijk te maken dat zij daar heus wel dankbaar voor is, maar er geen behoefte aan heeft zich verder in het doen en laten van zijn vroegere vriendin te verdiepen. „Voor mij is zij een volslagen vreemde," laat zij hem nadrukkelijk weten, „en dat kan maar het beste zo blijven. Ik denk dat het trouwens verstandig zou zijn als jij haar verder ook met rust liet." Maar dat advies lijkt Job toch niet zomaar naast zich neer te willen leggen.

„Ik zou graag zien dat jij, als ik Marijke om de een of andere reden nog eens tegenkom, erop zou kunnen vertrouwen dat zij voor mij nooit meer zal worden dan een goede bekende, voor wie ik er gewoon als mens wil zijn."

„Je kunt het mooi zeggen." Dat is het laatste wat Tineke nog over deze kwestie aan hem kwijt wil. En om de sfeer tussen hen niet te bederven doet Job er verder ook maar het zwijgen toe.

Hij lijkt zich voor het eerst te realiseren dat Tineke zich door het contact dat hij met Marijke heeft gezocht, misschien toch op een bepaalde manier bedreigd is gaan voelen. Hoewel hij zichzelf voorhoudt dat daar helemaal geen reden voor is, besluit hij haar de komende tijd toch wat extra aandacht te geven, zodat zij in ieder geval zal voelen dat zij de eerste plaats in zijn leven inneemt!

Daarom stelt hij haar enkele dagen later onverwachts voor de komende zaterdagavond samen weer eens ouderwets gezellig uit te gaan.
„Soms heb ik het idee dat wij in dat opzicht wat minder actief zijn geworden dan vroeger," voert hij als excuus voor zijn verrassende voorstel aan. „Volgens mij is het hoog tijd geworden onszelf weer eens op zo'n extraatje te trakteren."
Inderdaad lijkt dat voorgenomen uitje hen ongemerkt in dezelfde verwachtingsvolle stemming te brengen die zij door de jaren heen regelmatig bij zichzelf hebben waargenomen.
Als Tineke die zaterdagavond op de afgesproken tijd klaar staat om met Job te vertrekken, glijdt zijn blik waarderend over haar charmant geklede verschijning. „Zo te zien heb jij je beste beentje weer voorgezet, meisje," complimenteert hij haar spontaan. „Ik ben er gewoon trots op dat ik met je uit mag!"
Omdat Tineke merkt dat Job meent wat hij zegt, kan zij niet ontkennen dat zijn goedkeurende opmerking haar goed doet. „Maar ik ga ook niet met de eerste de beste man op stap," verklaart zij een tikkeltje uitdagend, „reken maar dat ik me zo opgewonden voel als een kind. Ik weet tenslotte nog steeds niet wat mij vanavond te wachten staat."
Dat blijkt inderdaad een verrassing te zijn, want na een indrukwekkende theatervoorstelling te hebben bijgewoond blijkt Job in het aangrenzende restaurant nog een tafeltje voor hen te hebben gereserveerd, waar zij zich in alle rust te goed kunnen doen aan een uitgelezen souper.
„Dit is een avond om nooit te vergeten," verzucht Tineke als een van de kelners ten slotte nog een glas Irish coffee serveert. „Je hebt er geen idee van Job, hoe ik de afgelopen uren heb genoten!" Even glijden haar ogen onderzoekend over zijn gezicht.

„Waaraan had ik dit te danken?" Job geeft niet direct antwoord maar verklaart dan met een warme blik in haar richting: „Gewoon aan het feit dat ik mijn verbondenheid met jou nog eens op een heel bijzondere manier wilde vieren. Als je dag in dag uit met elkaar optrekt, kan dat zo'n vanzelfsprekendheid worden dat je je soms nauwelijks meer realiseert wat een voorrecht het is om er nog steeds voor elkaar te mogen zijn."

Omdat zijn antwoord Tineke als muziek in de oren klinkt, knikt zij Job zichtbaar ontroerd toe. „Soms beschouw ik het als een wonder dat je nog steeds niet op mij bent uitgekeken!"

„Ik? Op jou?" In zijn stem klinkt zoveel oprechte verbazing, dat Tineke onmiddellijk begrijpt dat een dergelijke gedachte nooit eerder bij hem is opgekomen. Quasi bestraffend buigt hij zich naar haar toe. „Lieve kind, hoe kom je daar nou bij? Wij zijn toch al die jaren gelukkig met elkaar geweest!"

„Jawel…" Vreemd, het is net alsof zijn antwoord Tineke toch niet helemaal bevredigt. Nadenkend roert zij in haar koffie. „Maar soms heb ik het gevoel dat je van je leven met mij iets anders had verwacht."

Het is duidelijk dat Job geen verdere uitleg nodig heeft. Kennelijk tobt Tineke nog steeds over het feit dat zij hem nooit kinderen heeft kunnen geven.

De doordringende blik waarmee hij haar aankijkt laat niets aan duidelijkheid te wensen over. „Hoe vaak heb ik je nou al gezegd dat je je daarin vergist? Je weet toch net zo goed als ik dat er maar Eén is, Die de gang van ons leven bepaalt."

„Natuurlijk weet ik dat, maar toch zou ik niet durven beweren dat ik mij heb neergelegd bij het feit dat wij al die jaren met ons tweeën zijn gebleven. Nog altijd ervaar ik dat als een soort leegte in ons bestaan." Terwijl zij het zegt, betrapt Tineke zich erop dat het gevoel van machteloosheid waarmee zij het zo af en toe toch nog wel te kwaad heeft, haar weer parten speelt. Al vaker heeft Job haar erop gewezen dat hij de teleurstellende gang van zaken in hun huwelijk heeft geac-

31

cepteerd, maar steeds heeft Tineke hem bij die gelegenheden verweten dat zij dit beschouwde als goedkope mannenpraat. Ook nu kan zij het niet laten daar nog eens aandacht voor te vragen.

„Jij beleeft dat soort dingen nu eenmaal anders dan ik. Zonder kinderen heb je als getrouwde vrouw toch het idee dat je je doel hebt gemist. En het moeilijke is dat die gedachte je blijft beïnvloeden. Vooral omdat er maar weinig mensen zijn die begrijpen hoe pijnlijk het voor je is om te moeten ervaren dat je verlangens op dat gebied nooit vervuld zijn geworden."

„Dat snap ik wel maar in dat opzicht hebben wij er toch alles aan gedaan om die wens een zo groot mogelijke kans van slagen te geven. Daarom heeft het geen zin daarover je hoofd te blijven breken."

Om de zorgeloze stemming waarin zij de hele avond hebben verkeerd niet te verliezen, besluit Job het bij die uiteenzetting te laten, terwijl ook Tineke voelt dat zij het gesprek maar beter over een andere boeg kan gooien.

„Vanmorgen vertelde Bea mij nog dat Peter en zij hebben besloten voorlopig uit elkaar te gaan." Geschokt staart Job haar aan. „Bea? Je bedoelt die vroegere collega van je?"

„Precies!" Ongemerkt heeft Tinekes gezicht een ietwat zorgelijke uitdrukking gekregen. „Snap je dat nou na een huwelijk van twintig jaar?"

„Tja…" Terwijl Job de kelner een seintje geeft dat hij eraan toe is om af te rekenen, probeert hij zich in de situatie die Tineke hem zojuist heeft geschetst, te verplaatsen.

„Je weet als buitenstaander vaak niet waarop zo'n relatie afknapt." Maar daarover lijkt Tineke toch wel iets meer te weten. „Ze lagen al een paar jaar met elkaar in de clinch over de manier waarop Bea hun zoon de hand boven het hoofd blijft houden. Die knaap vertikt het gewoon om een normaal leven te leiden."

„'t Is de vraag wat je als ouders onder normaal verstaat," bepeinst Job. „De jongelui van tegenwoordig leven in een wereld waarin normen en waarden die ons met de paplepel zijn ingegoten, vaak als volslagen onbelangrijk worden beschouwd."

„Wat je ook normaal noemt," licht Tineke de zaak toe, „helemaal gewoon is het natuurlijk niet, zoals die jongen leeft. Zijn studie heeft hij eraan gegeven en omdat hij een stevige heroïne gebruiker is zit hij constant in geldnood. Maar Peter weigert hem daarin nog langer tegemoet te komen. En dat is voor Bea onaanvaardbaar. Zij gaat ervan uit dat je het als ouders niet kunt maken om je kind bewust in de ellende te laten zitten."

„En toch betwijfel ik of zij hem daarmee een dienst bewijst," werpt Job enigszins aarzelend tegen. „Als ik een volwassen zoon had die er geen been in zag zijn toekomst bewust naar de knoppen te helpen, zou ik waarschijnlijk ook geneigd zijn om te zeggen: Dop jij je eigen boontjes maar."

„Ik denk dat vrouwen zoiets moeilijk over hun hart kunnen verkrijgen," verzucht Tineke terwijl zij wat afwezig haar tas pakt, „en daarom begrijp ik best dat Bea voor die jongen blijft vechten."

„Maar wel ten koste van haar huwelijk," stelt Job hoofdschuddend vast. „Zo zie je maar weer dat je het ouderschap beslist niet moet idealiseren."

Als zij even later hand in hand het restaurant verlaten en in de kilte van de avond hun weg zoeken naar de plek waar hun auto geparkeerd staat, realiseert Tineke zich opnieuw dat zij in tijden niet zo'n kostelijk avond heeft beleefd. En dat sterkt haar opnieuw in de overtuiging dat Jobs gevoelens voor haar er door de jaren heen beslist niet minder op zijn geworden.

„Bedankt," fluistert zij hem daarom nog eens toe als zij enkele minuten daarna naast hem op de autostoel neerzakt. „Ondanks alles wat het leven ons heeft onthouden, hebben wij nog genoeg overgehouden om samen gelukkig te kunnen blijven." Een constatering die door Job onmiddellijk met een extra stevige zoen wordt beantwoord.

Pas als zij thuis zijn en al aanstalten maken om de dag te beëindigen, herinnert Tineke zich ineens dat Job nog steeds met Marijkes adresverandering op zak loopt.

„Ga je die gegevens echt noteren?" informeert zij zo ontspannen mogelijk. Zonder zich ook maar enigszins bewust te zijn van de spanning die deze vraag bij Tineke oproept, antwoordt Job zonder aarzelen: „Natuurlijk, het zou heel onattent zijn om zo'n bericht direct in de prullenbak te laten verdwijnen."

Een ogenblik lijkt Tineke met zichzelf in tweestrijd te staan. Dan zoeken haar ogen weifelend die van Job. „Als je ooit voor je werk bij haar in de buurt moet zijn waarschuw mij dan," laat zij hem, duidelijk met zichzelf verlegen, weten.

„Jou waarschuwen? Waarvoor?" vraagt Job met oprechte verbazing. „Jij hebt er toch geen belang bij om Marijke te ontmoeten? Voor zover ik heb begrepen wil je dat beslist niet."

Pas dan merkt hij aan Tinekes houding dat zij daarover niet meer zo'n uitgesproken mening heeft als enkele dagen geleden. „Ik geloof dat ik niet precies meer weet wat ik wel of niet wil," geeft zij schoorvoetend toe. „Na vanavond ben ik er toch een beetje anders over gaan denken. Aanvankelijk maakte de aandacht die je voor haar had mij onzeker, maar ik weet nu dat ik mij daarover geen zorgen hoef te maken. Misschien is het daarom toch goed dat je mij bij gelegenheid eens kennis met haar laat maken. Eerlijk gezegd ben ik best benieuwd wat voor type vrouw Marijke is."

„Jij bent me er een, hoor!" kan Job niet nalaten ietwat plagend zijn verrassing te laten blijken over de onverwachte verandering in Tinekes gedachtegang. Maar het volgende ogenblik trekt hij haar met een gebaar van toenemende blijdschap naar zich toe. „Geweldig, meisje, dat je het hebt klaargespeeld je over die twijfelachtige gevoelens ten opzichte van Marijke heen te zetten. Reken maar dat je daar geen spijt van zult krijgen!"

„Ik denk dat ik alleen dankzij jou zover ben gekomen," laat Tineke hem eerlijk weten terwijl zij zich met een zucht van

geluk tegen hem aanvlijt. „Nooit eerder heb ik mij zo veilig bij je gevoeld als vanavond."
Het is Job die haar even later met een uitdagend gebaar het adressenboekje in de hand duwt dat in de buurt van de telefoon voor het grijpen ligt. „Dan lijkt het mij het beste dat jij zelf Marijkes nieuwe adres noteert. Morgen zet ik die gegevens wel in de computer."

Pas als Tineke een half uur later in bed ligt en Job al in slaap is gevallen, blijft zij met de handen onder haar hoofd nog een hele tijd nadenken over haar aanvankelijke aversie tegen Jobs vroegere vriendin. Is het echt zo dat zij haar niet langer als een bedreiging voor haar huwelijk ziet? Of heeft zij, na de overduidelijke manier waarop Job haar vanavond nog eens heeft laten merken hoeveel zij voor hem betekent, vanuit een soort schaamte die kinderachtige gevoelens van jaloezie bij zichzelf willen verdringen? Job heeft natuurlijk wel gelijk. Als het erop aankomt hoeft zij zich absoluut niet de mindere te voelen van Marijke.
Het is die laatste gedachte waardoor zij zich ten slotte vastbeslotener dan ooit voorneemt om zonder meer op Jobs liefde en verbondenheid met haar te blijven vertrouwen en…zich niet langer door allerlei ambivalente gevoelens ten opzichte van zijn ex-vriendin van de wijs te laten brengen.

4

Tot Tinekes geruststelling komt het gaan en staan van Marijke in de daaropvolgende weken niet meer tussen hen ter sprake.

Job, die als belastingconsulent zijn klanten door het hele land heeft zitten, is soms dagen van huis en zijzelf houdt zich, naast haar deeltijdbaan als verkoopster in een vooraanstaande kledingzaak, bezig met vrijwilligerswerk in het plaatselijke ziekenhuis. Vooral de contacten die zij met de patiënten heeft, zou zij niet graag meer willen missen.

Als zij het zich op een avond thuis met Job gemakkelijk heeft gemaakt lijkt hij zich opeens iets te herinneren. „Weet je waar ik volgende week heen moet?" Wat verstrooid kijkt Tineke op van het tijdschrift waarin juist een interessant artikel haar aandacht was gaan boeien. „Geen idee."

Job, die inmiddels zijn agenda tevoorschijn heeft gehaald, knikt haar veelbetekenend toe. „Ik heb voor woensdagmorgen een afspraak gemaakt met een klant die op een paar kilometer afstand van Marijke woont. Misschien zou jij die dag met mij meekunnen. Als ik aan het werk ben kun jij in de buurt wat winkelen, dan zouden wij in de middag misschien iets met Marijke kunnen regelen."

Onwillekeurig voelt Tineke een schok door zich heengaan. „Je weet natuurlijk niet of zij dan thuis is." Terwijl zij het zegt realiseert zij zich dat Jobs mededeling toch weer een soort onrust bij haar oproept, hoewel zij haar uiterste best doet zo rustig mogelijk te reageren. Nog maar kort geleden heeft zij hem tenslotte zelf laten merken dat zij Marijke toch wel wil leren kennen.

Gelukkig lijkt Job geen erg te hebben in de twijfelachtige gevoelens die zij opnieuw in zich heeft voelen opkomen. „Ik denk dat Marijke ons maar al te graag zal willen ontvangen en vast wel een uurtje voor ons vrij zal weten te maken," verzekert hij haar met toenemend enthousiasme.

„Als ik met je meega moet ik 's morgens op de zaak wel verstek laten gaan," probeert Tineke nog tegen te werpen. Maar dat bezwaar wuift Job echter met een zorgeloos gebaar weg. „Voor één keer kan dat toch wel? Tenslotte sta jij ook altijd klaar als ze je onverwachts nodig hebben." Hoopvol kijkt hij haar aan. „Wat doen we? Zal ik Marijke maar gelijk bellen om te vragen of het haar uitkomt dat wij zo tegen drie uur even bij haar langskomen?"

„Tja… als je denkt dat zij het niet vervelend vindt om mij erbij te hebben…" Maar daarover wil Job geen woord horen. „Ik heb je toch al eerder gezegd dat Marijke er zelf op heeft aangedrongen bij gelegenheid eens kennis met je te mogen maken. Wat wij in het verleden met elkaar hebben gehad speelt voor haar geen rol meer. Zij is veel te blij dat ik, na haar onverwachte vertrek uit mijn leven, met jou weer gelukkig ben geworden."

„We zullen zien." Dat is het enige wat Tineke nog opmerkt over de afspraak die Job diezelfde avond nog wil gaan maken. Maar in haar hart lijkt de onrust steeds meer toe te nemen, terwijl in haar geest opnieuw allerlei verwarrende gedachten om de voorrang strijden.

Waarom gaat zij de confrontatie met Marijke eigenlijk aan? Wat heeft zij bij Marijke te zoeken? Ondanks haar twijfels wil ze onder geen beding de indruk wekken Job zijn hernieuwde kennismaking met haar te misgunnen.

Als Tineke op die bewuste woensdagmorgen al bijtijds bij Job in de auto stapt, realiseert zij zich opnieuw dat ze als een berg tegen het komende bezoek op ziet.

In het modieuze broekpak dat zij voor deze gelegenheid heeft aangetrokken, ziet zij er weliswaar superchique uit, maar zij heeft er geen idee van of Jobs ex-vriendin voor dat soort dingen gevoelig is. In ieder geval heeft zij haar uiterste best gedaan om een zo goed mogelijk indruk op haar te maken.

Voor Job de auto start pakt hij even haar hand. „Als je eens wist hoe fijn ik het vind dat je vandaag mee gaat," laat hij haar spontaan weten. „Ik kan je verzekeren dat Marijke het prima met je zal kunnen vinden." Tineke probeert een glimlach te forceren. „Aan jouw optimisme zal het in geen geval liggen."

Pas als zij in de namiddag oog in oog staat met de vrouw van wie zij zich de afgelopen tijd tevergeefs een voorstelling heeft geprobeerd te maken, valt er een pak van haar hart. Niet bepaald een opvallende persoonlijkheid, flitst het door haar heen terwijl zij Marijke vormelijk een hand geeft en haar met toenemend zelfvertrouwen volgt naar de bescheiden gemeubileerde huiskamer.

Het blijkt dat Job over de hartelijkheid waarmee Marijke vooral Tineke tegemoet treedt geen woord te veel heeft gezegd. Maar deze heeft daar nauwelijks erg in omdat zij nog steeds bezig is het beeld dat zij zich van haar had gevormd, bij te stellen.

Terwijl Marijke zich direct beijvert om een kop verse thee voor hen te zetten, glijden Tinekes ogen kritisch over haar kleding. Geen dame! constateert zij met een vaag gevoel van triomf, gewoon een dorps type dat geen benul heeft van modetrends of kleurencombinaties. Het halflange haar dat Marijkes gezicht smaller doet lijken dan het in werkelijkheid is, getuigt zelfs van een zekere nonchalance op dat gebied. Het is echter de warmte van haar persoonlijkheid waardoor Tineke zich toch op de een of andere manier geraakt voelt. Aardig is zij wel, concludeert zij daarom in stilte nadat Marijke belangstellend heeft geïnformeerd naar haar persoonlijke interesses.

Toch lukt het haar niet om zich zonder meer aan Marijkes ongedwongen benadering gewonnen te geven. Niettemin probeert zij beleefd te blijven luisteren naar de uitleg die deze haar geeft over de onverwachte manier waarop zij weer met Job in contact is gekomen.

„Aanvankelijk voelde ik er niets voor om hem na al die jaren weer te ontmoeten," bekent zij Tineke met een zekere gêne in haar blik. „Ik vond het niet nodig aan ons gezamenlijk verleden te worden herinnerd."

„Gelukkig maar dat ik je toch zover heb weten te krijgen," stelt Job zichtbaar tevreden vast, „want het heeft absoluut de nodige helderheid gebracht tussen ons."

„Tja…" Blijkbaar voelt Marijke toch wel aan dat Tineke de wending die hun gesprek heeft genomen minder prettig vindt. Daarom knikt zij haar begripvol toe. „Ik ben zo blij dat jij Job het geluk hebt kunnen geven dat hij verdient, Tineke," probeert zij de gevoelens van weemoed die haar op dit moment kennelijk bestormen, te verwoorden. „Ik heb dat gemerkt aan de warmte waarmee hij over jullie huwelijk sprak."

Hoewel Marijkes reactie Tineke dieper treft dan zij voor mogelijk had gehouden, kan zij het nog steeds niet opbrengen om haar aanvankelijke gereserveerdheid te laten varen.

„Ach…" schouderophalend kijkt zij Marijke aan. „Het is maar hoe je 't bekijkt. Misschien heeft Job de zaken wel mooier voorgesteld dan ze in werkelijkheid zijn. Natuurlijk, wij hebben het goed met elkaar, maar dat betekent niet dat het in ons huwelijk altijd van een leien dakje is gegaan."

Als zij merkt dat de vaagheid van die laatste woorden vragen oproepen bij Marijke, besluit zij maar gelijk open kaart te spelen. „Ik denk bijvoorbeeld dat Job nog gelukkiger was geworden als ik hem kinderen had kunnen geven. Maar in de praktijk blijkt zoiets bij de een nou eenmaal gemakkelijker te gaan dan bij de ander. En als zo'n wens niet in vervulling gaat is dat een hard gelag." De veelbetekenende toon waarop zij het heeft gezegd lijkt Marijke om de een of andere reden te hebben geraakt. Niet alleen haar gezicht heeft een andere uitdrukking gekregen, maar in de blik waarmee zij Tineke aankijkt, ligt zoveel pijn te lezen dat deze, toch wel wat geschrokken van haar gewaagde opmerking, een ogenblik de adem inhoudt. Maar voor zij iets kan zeggen breekt Marijke zelf de spanning die Tinekes opmerking bij haar heeft opgeroepen.

„Ik begrijp dat je weet waarom ik Job destijds heb laten zitten?" Tineke knikt instemmend. Even lijkt Marijke te aarzelen, om even later met trillende stem te verklaren: „Maar je weet niet dat ik het kind wat ik verwachtte nooit in mijn armen heb mogen houden."

Alsof zij een klap in haar gezicht heeft gekregen staart Tineke haar aan. „Dat wist Job ook niet," stamelt zij ten slotte onthutst, „hij vermoedde wel dat er iets niet klopte, maar uit zichzelf wilde hij daar niet over beginnen."

Op dat moment beseft Job dat de conversatie tussen Marijke en Tineke vast dreigt te lopen op feiten die zowel bij de een als bij de ander de nodige emoties oproepen. Daarom besluit hij zich in de discussie te mengen. „Ik begrijp nu dat jullie allebei op dit terrein ervaringen hebben opgedaan die het leven er niet eenvoudiger op hebben gemaakt. Het is inderdaad niet gemakkelijk om te moeten meemaken dat je huwelijk kinderloos blijft, maar als je na een voldragen zwangerschap je kind, op wat voor manier dan ook, kwijtraakt, ben je volgens mij ook door het leven getekend."

Hoewel Tineke beseft dat er tegen Jobs redenering niet veel valt in te brengen, heeft zij het gevoel dat zijn veronderstelling met betrekking tot Marijke toch niet helemaal klopt.

„Als het gaat om een gewenst kind kan ik mij dat voorstellen," kan zij daarom niet nalaten hem te corrigeren, „maar bij Marijke was dat, voor zover ik heb begrepen, niet het geval." Het is eruit voor zij er zelf erg in heeft en haar opmerking veroorzaakt dan ook een dodelijke stilte in de kamer.

Ten slotte is het echter Marijke zelf die haar, ogenschijnlijk rustig, van repliek dient. „Je hebt gelijk, Tineke. Aanvankelijk heb ik dat kind inderdaad maandenlang verwenst en zelfs overwogen om het weg te laten halen, hoewel ik intuïtief wist ik dat ik daarmee nooit vrede zou kunnen hebben. Daarom kwam ik tot de slotsom dat er voor mij maar één oplossing was: het direct na de geboorte af te staan voor adoptie. Pas toen vlak voor de bevalling alle papieren daarvoor waren getekend, begon het tot mij door te dringen dat ik toch op een bepaalde manier met mijn ongeboren kind verbonden was geraakt en het helemaal niet kwijt wilde."

Het is Marijke aan te zien dat de herinnering aan die verwarrende periode in haar leven opnieuw de nodige emoties bij haar oproept. Als zij haar verhaal vervolgt staan er tranen in haar ogen en heeft zij moeite haar zelfbeheersing te bewaren.

„Daardoor kwam ik er op de valreep nog toe om de consequenties van het moederschap te aanvaarden en dat adoptieplan van tafel te vegen. Maar zover is het nooit gekomen. Uitgerekend toen ik op weg was om mijn besluit aan de betrokken instanties kenbaar te maken, raakte ik betrokken bij een ernstig ongeluk, waardoor ik op de intensive care van het ziekenhuis belandde."

Zowel Job als Tineke hebben met stijgende ontzetting naar Marijkes onthulling over die onvoorziene gang van zaken in haar leven geluisterd. Kennelijk is zij nooit eerder in de gelegenheid geweest haar belevenissen uit die tijd met iemand te delen, zodat zij nu alles achter elkaar eruit gooit.

„Omdat ik een spoedoperatie moest ondergaan besloten de artsen om mijn kind nog diezelfde avond te halen. Inmiddels was mijn moeder gewaarschuwd en toen zij zich de volgende dag in het ziekenhuis meldde, vond zij in mijn handtas die adoptieverklaring. Op grond daarvan en vanwege het feit dat ik niet aanspreekbaar was, heeft zij die zaak maar gelijk afgehandeld. Voor haar was het tenslotte geen vraag waarom ik dat kind kwijt wilde, terwijl ook die bewuste huisvriend had laten weten er geen belang bij te hebben. Toen ik dus enkele weken later tegen ieders verwachting in weer bij mijn positieven kwam, was ik mijn kind kwijt."

„Dus je hebt het echt nooit gezien?" Het ongeloof dat in Jobs stem doorklinkt bewijst hoeveel moeite hij ermee heeft om de realiteit van Marijkes bekentenis te aanvaarden. Maar ook Tineke voelt een soort huiver door zich heen gaan bij de gedachte alleen al een dergelijk drama te moeten meemaken.

Nadat Marijke Jobs vraag met een ontkennend hoofdschudden heeft beantwoord, blijkt haar verhaal echter nog een vervolg te hebben. „Toen mijn moeder erachter kwam dat ik van plan was geweest om die adoptieprocedure alsnog een halt toe te roepen, heeft zij er alles aan gedaan om mij ervan te overtuigen dat het leven dan voor mijzelf een veel te zware opgaaf zou zijn geworden. Voor mijn gevoel sloegen haar argumenten echter nergens op en bleef ik op een verschrikkelijke manier met mijzelf in de knoop zitten. Totdat zij mij, enkele maanden later, weer kwam opzoeken om te vertellen er per toeval achter te zijn gekomen dat die hele adoptieprocedure op niets was uitgelopen, omdat mijn zoon een maand na de geboorte onverwachts was overleden."

Vooral na die laatste onthutsende mededeling weten zowel Tineke als Job geen woord meer uit te brengen. Gelukkig is het Marijke zelf die de stilte doorbreekt als ze met een verdrietige zucht vaststelt: „Soms denk ik dat het allemaal zo heeft moeten zijn, want als ik mijn kind had gehouden zou ik er inderdaad de zorg voor hebben gehad. En als hij bij zijn adoptieouders was blijven leven zou ik zijn blijven zitten met de vraag wat er van hem was geworden. Maar ik kan jullie wel vertellen dat het geen eenvoudige opgave is geweest om met die hele geschiedenis in het reine te komen."

Dat haar uiteenzetting vooral Job diep heeft geraakt is duidelijk. Maar ondanks het feit dat Marijkes belevenissen ook Tineke wel degelijk hebben geschokt, lijkt zijn medeleven met haar toch een zekere weerstand bij haar op te roepen. Ongemerkt begint daardoor het gevoel van onbehagen dat zij daarstraks met veel moeite had weten te verdringen, haar toch weer parten te spelen.

Als zij Job enkele ogenblikken later nadrukkelijk hoort verklaren dat hij alle respect heeft voor de manier waarop Marijke na die trieste ervaring, haar leven weer heeft opgepakt, begint zich zelfs een soort ergernis van haar meester te maken. Ongetwijfeld zullen de ingrijpende gebeurtenissen die

Marijkes leven hebben getekend haar tot een sterkere persoonlijkheid hebben gemaakt, maar dat hoeft voor Job nog geen reden te zijn om haar zo overdreven op te hemelen. Zelf heeft zij toch ook haar uiterste best gedaan om zich zo min mogelijk door het besef dat hun huwelijk kinderloos zou blijven uit het veld te laten slaan. En dat is evengoed een worsteling geweest.

Hoe langer Tineke daarover nadenkt, hoe opstandiger zij zich voelt worden. Het is immers overduidelijk dat Job op dit moment enkel nog maar aandacht heeft voor de strijd die Marijke met zichzelf te strijden heeft gehad en geen ogenblik meer denkt aan alles wat zijzelf in het leven heeft moeten verwerken.

Tot haar verwondering slaagt zij er echter nog steeds in om het gesprek tussen die twee zo beheerst mogelijk te blijven volgen. Op dat moment wendt Marijke zich met een begrijpend knikje tot haar. „Jij heb gelukkig Job nog, Tineke, dat moet voor jou veel goedmaken!"

Het is echter die goedbedoelde opmerking waardoor Tineke het idee krijgt dat Marijke diep in haar hart een tikkeltje jaloers op haar is. En als vanzelf roept dat bij haar een groeiend gevoel van ergernis op over het feit dat zij erin heeft toegestemd om vanmiddag met Job naar zijn ex-vriendin te gaan. Zie je wel, dat je het bij het rechte eind hebt gehad, stookt een stem in haar binnenste, die vrouw houdt nog evenveel van Job als vroeger! En dat lijkt de spanning die zich ongewild in haar is gaan ophopen, ineens te breken.

Het kan haar plotseling niet meer schelen wat Marijke allemaal heeft meegemaakt en op welke manier zij de zaken in haar leven heeft aangepakt. „Ik hoop niet dat je mij dat voorrecht misgunt!" Het is er zo vijandig uitgekomen dat Job verschrikt opveert. Ook Marijke weet even niet wat zij met die onverwachte uitval aanmoet.

Pijnlijk verbaasd staart zij Tineke aan. „Die indruk heb ik je toch niet gegeven?" Deze haalt haar schouders op. „Ik weet niet wat ik ervan moet denken dat Job en jij weer met elkaar bevriend zijn geraakt. Het wil er bij mij niet in dat de belangstelling die hij blijkbaar nog steeds voor je heeft, je niets doet."

Nog voor Marijke kan reageren is het echter Job die Tineke, kennelijk met de zaak verlegen, tot rede probeert te brengen. „Ik denk dat je je daarin vergist, Tineke. Anders zou Marijke jou toch niet hebben gevraagd om kennis met haar te komen maken? Het enige wat zij wil is een goede verstandhouding met ons en uiteindelijk ben ik degene geweest die daartoe de aanzet heeft gegeven."

Maar het is juist die vergoelijkende opmerking waardoor Tineke zich niet langer geroepen voelt om tegenover Marijke mooi weer te blijven spelen. „Ik heb je toch al eerder te verstaan gegeven dat ik het overdreven vond om de kwestie die jullie destijds uit elkaar heeft gedreven weer te gaan oprakelen," bijt zij Job toe, „maar jij wilde dat per se. Nou ja, wie ben ik dan om je daarvan te weerhouden?"

Marijke lijkt niet bepaald gelukkig te zijn met de twijfelachtige wending die hun gesprek heeft genomen. „Laten we er maar over ophouden, mensen," probeert zij de voelbare spanning die er tussen hen is ontstaan te doorbreken." Ik begrijp best dat Tineke er moeite mee heeft, Job, dat je weer contact met mij hebt gezocht. Misschien is het daarom het beste straks als vrienden afscheid van elkaar te nemen en het verder voor gezien te houden."

Maar met dat voorstel weigert Job akkoord te gaan. „Als volwassen mensen moeten wij elkaar kunnen vertrouwen, Marijke, ook als het gaat om onze vroegere verhouding met elkaar. Ik weet dat Tineke in dat opzicht niets van je heeft te duchten en daarom vind ik het heel normaal om, vooral nu je weer wat dichter in de buurt bent komen wonen, onze vriendschap een eerlijke kans te geven."

„Ook als zij dat niet prettig vindt?" Nog steeds doet Marijke haar best om Job ervan te overtuigen dat het voor haar onmogelijk is om zijn optimisme inzake deze kwestie te delen. Maar hij schudt vastbesloten zijn hoofd. „Als Tineke jou wat beter leert kennen gaat zij er wel anders over denken." Die opmerking neemt deze hem echter niet in dank af. „Begrijp me goed, Job," probeert zij hem zichtbaar gepikeerd te overtuigen van haar gelijk, „ik heb bewondering voor het feit dat Marijke zo loyaal is geweest om ons hier samen te willen ontvangen, maar ik blijf erbij dat het voor ons alle drie beter zal zijn om het hierbij te laten. En ik zou graag willen dat je in dit geval niet alleen afgaat op je eigen mening, maar ook de mijne respecteert. Ik snap best dat Marijke en jij elkaar als vrienden willen blijven vasthouden, maar ik ben toch bang dat dit in de praktijk niet werkt. In ieder geval niet voor mij."

Die laatste woorden zijn er zo nadrukkelijk uitgekomen dat Job nu toch de neiging heeft om Tinekes standpunt serieus te nemen. Duidelijk gegeneerd wendt hij zich tot Marijke. „Wat moeten we hier nou mee, Marijke?" Maar voordat zij kan antwoorden is Tineke haar al voor. „Waarom vraag je dat aan haar? Dit is een zaak waarover wij het eens moeten worden! Heb je nou door waar bij mij de schoen wringt?"

„Jazeker!" Job knikt bevestigend, maar de teleurstelling in zijn blik laat niets aan duidelijkheid te wensen over. „Je hebt het net zelf al gezegd: je bent bang! Niet voor mij maar voor jezelf! Bang dat je de honderd procent aandacht die je tot nog toe altijd van mij hebt gekregen, zult moeten delen met iemand die toevallig ook wel een steuntje kan gebruiken."

Omdat Marijke zich steeds ongemakkelijker begint te voelen bij het gebakkelei tussen Tineke en Job, besluit zij haar eigen mening de doorslag te laten geven. „Wees blij Job dat Tineke in ieder geval eerlijk durft te zijn. Ik weet bijna zeker dat haar waakzaamheid voort komt uit het feit dat zij onvoorwaardelijk van je houdt en daarin met niemand wil concurreren. Zolang die gevoelens niet tot excessen leiden is daar toch niets mis mee."

Hoewel Marijkes reactie Tineke sterkt in de overtuiging dat

het gelijk inderdaad aan haar kant is, realiseert zij zich tegelijkertijd dat Marijke over een dosis levenswijsheid beschikt waaraan zij zelf niet kan tippen. Ik kan niet bij haar in de schaduw staan, flitst het opnieuw door haar hoofd, ik ben echt Jobs tweede keus geweest. Het is vooral die laatste gedachte waardoor haar voorgewende zelfverzekerdheid, die was bedoeld om Marijke te imponeren, begint af te brokkelen.

Nog steeds heeft Job Marijkes opmerking niet beantwoord. Met een donker gezicht staart hij zwijgend voor zich uit. Pas als Marijke voorstelt om, voor zij vertrekken, nog even de tuin te bekijken die zij achter haar huis heeft laten aanleggen, lijkt hij weer bij zijn positieven te komen.

„Oké, maar dan gaan wij er daarna direct vandoor, hoor!" Tinekes ongecontroleerde gedrag heeft voor hem de middag waarnaar hij zo had uitgezien, grondig bedorven.

Als hij Marijke bij het weggaan een hand geeft, weet hij even niet wat hij tegen haar moet zeggen. En dat ergert hem mateloos. „Ik heb er geen idee van wanneer wij je weer zien," probeert hij de situatie te redden, „maar mocht het ooit nodig zijn, aarzel dan niet om een beroep op mij te doen." Terwijl hij dat zegt werpt hij Tineke een veelbetekenende blik toe. En dan beseft zij dat hij voor zichzelf een beslissing heeft genomen waaraan niet te tornen valt.

„Bedankt voor de ontvangst." Dat is alles wat zij nog tegen Marijke weet te zeggen als die, nog even vriendelijk als bij het begin van hun bezoek, afscheid van haar neemt.

Maar als zij eenmaal naast Job in de auto zit en hij de hoofdweg heeft bereikt, lukt het hem niet langer zijn gevoelens van verontwaardiging voor zich te houden. „Als ik vooruit had geweten dat je zo met je gevoelens ten opzichte van Marijke in de knoop zat, dan had ik mij wel tien keer bedacht eer ik je aan haar had voorgesteld. Ik snap jou niet! Waarom kun je niet aanvaarden dat ik op een normale manier contact met haar wil blijven houden?"

„Omdat jij waarschijnlijk een bord voor je hoofd hebt," bijt zij hem toe, „volgens mij kun je niet op een normale manier omgaan met iemand voor wie je ooit in vuur en vlam hebt gestaan. En dat moet Marijke zelf ook begrijpen. Jij zegt wel dat zij die tijd met jou achter zich heeft gelaten, maar wie bewijst dat? Kun jij in haar hart kijken? Ik niet en jij net zo min!"

Job schudt niet begrijpend zijn hoofd. „Ik kan maar één ding bedenken, Tineke. Dat jij Marijke haar vriendschap met mij misgunt. Misschien zou ik me daardoor gestreeld moeten voelen, omdat het bewijst dat je mij met niemand anders wilt delen maar zo zit ik niet in elkaar. Het moet toch mogelijk zijn dat ik, naast jou, ook anderen een plaats in mijn leven geef. Hoe ik dat doe en hoever ik daarin wil gaan is een ander punt, maar jij kent mij zo langzamerhand goed genoeg om te weten dat ik in dat opzicht wel degelijk mijn grenzen ken."

„Jij vergeet dat je ook gevoelens hebt en die kunnen op een bepaald moment wel eens met je verstand op de loop gaan," probeert Tineke hem haar mening duidelijk te maken. „En datzelfde kan het geval zijn met jouw ex-vriendin. Je moet gewoon een punt zetten achter die vriendschap, anders voorzie ik niets dan moeilijkheden."

„Zolang jij die niet schept zullen die er ook niet zijn," blijft Job halsstarrig aan zijn eigen standpunt vasthouden. „Om jou tegemoet te komen wil ik Marijke heus wel op een afstand houden, maar als zij mij om de een of andere reden nodig heeft, dan reken ik erop dat zij bij ons aan de bel trekt."

„Bij jou zul je bedoelen!"

Dit vruchteloze gehakketak drijft Tineke steeds meer in het verzet. „Ik weet nu heel zeker dat ik er geen behoefte aan heb mij persoonlijk met die vrouw te blijven bemoeien. Dus mocht zij ooit aan de bel trekken dan verwijs ik haar wel naar jou."

Het is vooral de gevoelloze manier waarop zij het zegt die bij Job onwillekeurig een gevoel van verbijstering oproept.

„Vergeet niet dat Marijke er betrekkelijk alleen voor staat, Tineke," waagt hij nog een laatste poging om haar tot rede te brengen, „en zeker nu zij een nieuwe start heeft gemaakt, zal dat extra moeilijk zijn."

„Als het haar ernst is met die nieuwe start moet zij maar proberen om in de omgeving waar zij nu woont vrienden te maken op wie zij, als dat nodig is, terug kan vallen. Daarvoor hoef jij je niet verantwoordelijk te voelen."

Omdat zij intussen al weer aardig dicht bij huis zijn gekomen is dat de laatste opmerking die Tineke maakt over de kwestie, die hen op een heel vervelende manier met elkaar in aanvaring heeft gebracht. Dat zij in de komende tijd niet van mening zal veranderen staat voor haar als een paal boven water. En daar zal Job zich toch, koste wat het kost, bij neer moeten leggen.

5

In de daaropvolgende weken lukt het tot Tinekes niet geringe opluchting toch om de sfeer van vertrouwelijkheid die er altijd tussen Job en haar is geweest, geleidelijk aan terug te vinden. Maar dat komt ook omdat zij, na hun bezoek aan Marijke, geen van beiden hun openlijke meningsverschil daarover meer ter sprake hebben gebracht. Bij hen thuis wordt de naam van Marijke niet meer genoemd en voor Tinekes gevoel raakt daardoor ook bij Job de gedachte aan haar steeds meer op de achtergrond.

Daarin komt echter verandering als hij haar op een herfstachtige namiddag vanuit de auto opbelt om te zeggen dat hij die avond niet thuis komt om te eten, omdat hij op het laatste moment nog een afspraak met iemand heeft moeten maken. „Wacht maar niet op mij Tineke," raadt hij haar aan. „Ik heb er geen idee van hoe laat het zal worden." Hoewel Job wel vaker onverwachts nog ergens heen moet voor zijn werk, heeft zij dit keer meer moeite met die mededeling dan anders. Hij heeft er nog steeds geen erg in! flitst het door haar hoofd terwijl haar gezicht betrekt. Vandaag is het immers hun trouwdag! Vanmorgen was Job echter al vroeg vertrokken zonder er ook maar een woord over te reppen. Omdat zij wist dat hij geen held was in het onthouden van dergelijke zaken, had zij hem dat niet kwalijk genomen. Weliswaar had zij in het begin van hun huwelijk elk jaar gehoopt dat hun trouwdag daarop een uitzondering zou vormen, maar algauw was zij erachter gekomen dat Job elk jaar die speciale datum vergat. Daardoor had zij zich aangewend om hem, als hij op die bewuste dag 's avonds thuiskwam, te verrassen met een uitgebreid etentje. De ene keer maakte zij dat thuis klaar, de andere keer liet zij een tafeltje in een restaurant reserveren, maar altijd zorgde zij er wel voor dat die dag voor hen toch een extra feestelijk tintje kreeg. Meestal maakte Job het dan weer goed door haar diep beschaamd zijn spijt te betuigen over zijn vergeetachtigheid en de dag daarop haar met een kostbaar boeket bloemen te verrassen.

Terwijl Tineke een blik werpt op de tafel die zij daarstraks al feestelijk heeft gedekt, informeert zij zo zakelijk mogelijk: „Kan die afspraak niet worden verzet naar morgen?" Maar over die vraag hoeft Job niet lang na te denken. „Voor zover ik heb begrepen gaat het om een nogal dringende aangelegenheid."

„Denk je dat je het maken kunt om mij hier de hele avond alleen thuis te laten zitten?" De veelbetekenende toon waarop zij het heeft gevraagd lijkt Job te ontgaan. „Dat gebeurt toch wel meer en daar heb je nooit moeite mee."

„Dan weet jij blijkbaar niet wat ik weet." De zonderlinge wending die hun gesprek neemt verontrust Job een beetje. „Hoe bedoel je dat? Is er iets dat ik moet weten?"

Nog een ogenblik laat Tineke hem in spanning. Dan besluit zij niet langer om de zaak heen te draaien. „Weet je wel wat voor datum het is vandaag?"

„Ik mag een boon zijn als ik weet waar je het over hebt!"

„Ik heb het over de dag waarop wij eenendertig jaar geleden elkaar het jawoord gaven, Job!" Tineke heeft het met zoveel nadruk gezegd dat hij onmiddellijk begrijpt hoe teleurstellend zijn telefoontje voor haar moet zijn. „Meen je dat nou?"

„Wat dacht je dan?" In Tinekes stem klinkt nu duidelijk ergernis door. „Anders zou ik het niet zeggen. Maar zelfs na meer dan 30 jaar schijn je die datum nog niet te kunnen onthouden."

Even valt er aan de andere kant van de lijn een ongemakkelijke stilte. Het is duidelijk dat Tinekes mededeling Job heeft overrompeld. Daarom besluit zij zelf de draad van het gesprek maar weer op te pakken. „Nou Job, wat doe je? Zie je het nog zitten om die afspraak af te zeggen en zo gauw mogelijk naar huis te komen?"

„Tja…" Dat zij Job behoorlijk in verlegenheid heeft gebracht is Tineke nu wel duidelijk, maar dat kan haar op dit moment niets schelen. „Ik weet het niet." Het feit dat hij niet resoluut besluit om gelijk naar haar toe te komen doet haar ergernis alleen maar toenemen.

„Zolang het niet gaat om een zaak van leven of dood zul je aan de feestelijke avond die ik je wil bezorgen toch de voorrang moeten geven, Job! Daar kun je niet onderuit!"

„Ook niet als ik je beloof morgen een paar uur eerder naar huis te komen om het goed te maken?"

„Nee!" Het is er bij Tineke zo kortaf uitgekomen dat Job niet goed meer weet wat hij nog kan doen om haar tevreden te stellen.

„Dan geef ik het op, Tineke, want ik ben er honderd procent zeker van dat de kwestie waarover ik je bel geen uitstel kan lijden."

„Oké!" Op dit moment doet Tineke geen enkele moeite meer haar boosheid voor hem te verbergen. „Als jij vindt dat jouw werk belangrijker is dan deze privé-aangelegenheid, ga je je gang maar. Ik probeer deze avond dan wel op mijn eigen manier door te komen, al zal dat naar alle waarschijnlijkheid wel buiten de deur zijn, want ik pas ervoor om hier, vanavond, in mijn eentje te blijven zitten." Terwijl zij het zegt realiseert Tineke zich dat zij ter plekke iets staat te verzinnen om Job in ieder geval te laten merken dat zij zich niet alleen teleurgesteld maar vooral tekortgedaan voelt.

Als zij na een korte groet de hoorn op de haak heeft gegooid, begint het tot haar door te dringen dat zij, om haar figuur tegenover hem te redden, nu wel verplicht is om woord te houden en ervoor zal moeten zorgen dat zij, als hij straks thuiskomt, inderdaad afwezig is.

Maar voorlopig komt het er nog niet van om weg te gaan, eerst zal zij moeten beslissen wat er moet gebeuren met de spullen die zij voor vanavond al had klaargemaakt.

Terwijl Tineke de tafel weer afruimt, de schalen die op het aanrecht staan wegbergt en de paar gerechten waaraan zij al de laatste hand had gelegd inpakt om in de vriezer te leggen, probeert zij te bedenken wat zij zich zal kunnen doen om Job in ieder geval te laten merken dat zij behoorlijk teleurgesteld voelt en niet van plan is zich zijn onattente gedrag zomaar te laten welgevallen.

Echt zin om de deur uit te gaan heeft zij niet. Een half uur geleden is het gaan motregenen en het oogt buiten troostelozer dan ooit. Maar nu zij Job heeft laten weten dat zij zich vanavond ook zonder hem wel zal vermaken, zal zij dat ook moeten waarmaken.

Pas als Tineke tegen halfacht, gehuld in een regenjas, de huisdeur achter zich dichttrekt, heeft zij toch een idee gekregen om van het uitje dat zij zichzelf heeft opgelegd, nog iets zinnigs te maken. Zomaar ineens is het haar daarstraks te binnen geschoten dat het eethuisje om de hoek, waar Job en zij nog wel eens binnenstappen om een warme hap te halen, kort geleden een grondige renovatie heeft ondergaan. Nu zij thuis niets heeft gegeten kan zij daar best iets voor zichzelf bestellen. En daarna is het misschien goed om nog even te kijken of Bea, die vlak in de buurt woont, thuis is. Nu Peter op zichzelf is gaan wonen zal dat voor haar misschien een welkome afleiding zijn.

Terwijl Tineke al lopend haar paraplu openklapt, bezorgt die laatste gedachte haar onwillekeurig een huivering. Zij zou het vreselijk vinden als Job nooit meer thuiskwam. Natuurlijk, die schermutseling van vanavond is vervelend geweest en eerlijk gezegd heeft zij er ook wel een beetje spijt van dat zij hem zo hardhandig heeft aangepakt. Diep in haar hart weet zij immers dat Job, als het echt had gekund, op tijd naar huis was gekomen. Maar op het moment dat hij haar belde was zij er niet aan toe geweest om te accepteren dat hij haar uitgerekend vanavond alleen thuis liet zitten. Nou ja, soms moest je elkaar in je huwelijk wel eens een lesje leren en deze keer was het dus aan haar geweest om Job te laten voelen dat de zorgeloze manier waarop hij zelfs de avond van hun trouwdag had weten te verknallen, haar een behoorlijke kater had bezorgd. Nu al weet zij echter dat zij elkaar vandaag of morgen na een stevig gesprek toch wel weer zullen vinden.

Als Tineke een ogenblik later het bewuste eethuisje binnenstapt, van waaruit een weldadige warmte haar tegemoet komt, is het alsof alle sores van het afgelopen uur even van haar afvallen. De rust die er uitgaat van het met zorg gekozen interieur doet haar zo weldadig aan dat zij de eigenaar van de zaak, die haar inmiddels verrast heeft verwelkomd, een welgemeend compliment geeft. „'t Is hier prachtig geworden, Sjaak! Ik krijg de indruk dat je er alles aan hebt gedaan om je bedrijf een nog betere naam te bezorgen." Kennelijk in zijn nopjes met de lof die Tineke hem toezwaait, begeleidt de man haar naar een tafeltje dat nog vrij is. „Over gebrek aan belangstelling hebben wij sinds de verbouwing inderdaad niet te klagen gehad," vertrouwt hij haar vol trots toe. Op dat moment kijkt hij haar opmerkzaam aan. „Uw man is toch niet ziek?" Maar Tineke weet hem onmiddellijk gerust te stellen. „Hij zou wat later thuiskomen vanavond en dat bracht mij op de gedachte om bij jou maar wat te gaan eten, zodat ik gelijk de veranderingen die je hier hebt laten aanbrengen eens bekijken kan."

Als zij, na het gesprekje met de eigenaar, haar bestelling heeft doorgegeven, realiseert Tineke zich opeens dat het toch wel vreemd aandoet om zo alleen aan een tafeltje te zitten.

Nadat zij zo onopvallend mogelijk een speurende blik om zich heen heeft geworpen, bemerkt zij dat ze inderdaad de enige gast is die geen deel uitmaakt van een gezelschap. Maar vrijwel onmiddellijk weet zij het gevoel van onbehagen dat haar daardoor bekruipt, van zich af te zetten. Het is onzin om zich zielig te gaan voelen. Zij heeft dit zelf gewild, dus moet zij ook de consequenties ervan maar voor lief nemen.

Toch lichten haar ogen verrast op als zij halverwege de maaltijd Bea's ex-man ziet binnenkomen. Op het moment dat hij zijn ogen over de diverse tafeltjes laat gaan om te zien of er nog een geschikt plekje voor een eenling over is, steekt Tineke impulsief haar hand omhoog. „Peter!" Het is alsof er een last van haar afvalt als zij merkt dat hij haar uitroep met een opgetogen groet beantwoordt. Nadat hij, breed glimlachend, op haar is toegelopen, blijft hij aarzelend bij haar tafeltje staan. „Wat apart Tineke, dat ik jou hier tref! Ben je zomaar in je eentje op stap?" Omdat zijn vraag haar toch enigszins in verlegenheid brengt, ontwijkt zij een rechtstreeks antwoord. Uitnodigend wijst zij naar de stoel tegenover haar. „Je mag er wel bij komen zitten als je wilt." Het is duidelijk dat Peter maar al te graag bereid is op haar uitnodiging in te gaan, hoewel hij zijn best doet dat niet direct te laten blijken. „Meen je dat? Je hoeft je niet verplicht te voelen mij op te vangen, hoor! De laatste tijd kom ik hier zeker een paar keer per week, dus ben ik er wel aan gewend geraakt om alleen te zitten."

Al pratend maakt hij echter toch maar gebruik van Tinekes aanbod. En dan blijken zij binnen de kortst mogelijke tijd weer even vertrouwd met elkaar te zijn als voor zijn scheiding zodat er stof tot praten te over is. Voor het eerst hoort Tineke het verhaal over zijn recente huwelijksmoeilijkheden van een andere kant. Nu pas dringt het tot haar door hoeveel geduld Peter, vooral het afgelopen jaar, met zijn zoon heeft gehad en hoeveel ellende daaruit voor hemzelf is voortgekomen. „Bea blijft zich in allerlei bochten wringen om die jongen de hand boven het hoofd te houden, maar het is dweilen met de kraan open," bekent hij verdrietig. „Ik heb ook wel ettelijke keren mijn hart laten spreken en toch maar weer zijn schulden vereffend maar toen het ernaar uitzag dat ik daardoor zelf in financiële moeilijkheden zou komen, was het voor mij over en uit! Je helpt zo'n jongen niet door voortdurend voor hem in de bres te springen. Pas als hij zelf de kwalijke gevolgen van zijn onverantwoorde gedrag gaat ondervinden, zal er misschien een lampje bij hem gaan branden. Het is verschrikkelijk om het als ouders daarop aan te laten komen, zeker als je daarin met elkaar van mening verschilt. Maar er viel met Bea niet over die kwestie te praten en dat heeft tussen ons voor zoveel ruzies gezorgd, dat wij voorlopig even afstand van elkaar hebben genomen."

„Alsof dat de oplossing is," bepeinst Tineke, terwijl zij steeds beter gaat begrijpen hoe triest het voor Peter is dat hij zich sindsdien maar in zijn eentje moet zien te redden, terwijl Bea via een fulltime baan het geld bij elkaar probeert te krijgen dat haar zoon er regelmatig doordraait.

„Zij blijft erbij dat je als moeder je kind nooit mag laten vallen en daarin tot het uiterste moet gaan," laat Tineke hem zichtbaar bezorgd weten.

„Maar aan een dergelijke liefde zijn wel grenzen," betoogt Peter terwijl hij gedachteloos de door hem bestelde pizza aansnijdt. Een ogenblik kijkt hij haar onderzoekend aan. „Kom je nog wel bij Bea?" Zij knikt bevestigend. „Eerlijk gezegd was ik van plan zo dadelijk nog even bij haar langs te gaan. Job komt pas laat thuis, dus die mist mij niet."

„Heb je met haar afgesproken?" De spanning die in Peters stem doorklinkt roept bij Tineke onwillekeurig een gevoel van onzekerheid op. „Waarom vraag je dat?" Peter aarzelt. „Omdat ik eigenlijk nog wel een poosje met je zou willen doorpraten," bekent hij dan ietwat timide. „Met buitenstaanders heb ik het niet graag over mijn persoonlijke besognes. Maar jij kent Bea van haver tot gort en jij begrijpt vast wel hoe het tussen ons zover heeft kunnen komen."

Een ogenblik verkeert Tineke in tweestrijd. Voor haar gevoel heeft Peter haar al meer dan genoeg over die kwestie met Bea verteld, maar het lijkt erop dat hij gewoon een praatpaal nodig heeft. Onderzoekend kijkt zij hem aan. „Wat is dan je voorstel? Als ik jou hier niet had ontmoet zou ik nu aanstalten hebben gemaakt om te vertrekken." Het is de weifeling in haar stem die Peter hoop geeft. „Vind je het goed dat ik je nog wat te drinken aanbied?" Tineke werpt een vluchtige blik op haar horloge. „Tja…" Een ogenblik aarzelt zij nog. Ergens hindert het haar dat zij Peter achter Bea's rug om in de gelegenheid stelt haar in vertrouwen te nemen, maar tegelijkertijd voelt zij wel aan dat Peter zich eindelijk wel eens tegenover iemand wil uiten over de spanningen die tot zijn scheiding hebben geleid. En daar is nu alle gelegenheid voor want met Job hoeft zij geen rekening te houden.

„Oké," geeft zij zich gewonnen, na nog een ogenblik over Peters voorstel te hebben nagedacht. „Jij bent ook niet iedereen en zo vaak zijn wij elkaar de afgelopen maanden niet tegengekomen."

Als Peter voor hen allebei een glas wijn heeft besteld kost het weinig moeite de draad van hun afgebroken gesprek weer op te pakken. Terwijl Tineke luistert naar Peters relaas over zijn bevindingen van de afgelopen tijd, raakt zij er steeds meer van overtuigd dat Bea een bord voor haar hoofd moet hebben gehad om het belang van haar werkschuwe zoon zwaarder te laten wegen dan het geluk dat zij misschien nog jarenlang met deze man had kunnen beleven.

Het blijkt voor Peter een verademing te zijn om eindelijk iemand te hebben gevonden die een luisterend oor voor hem heeft en bereid is om het verdriet waarmee hij nu al maanden worstelt, serieus te nemen. „Jij weet hoe vasthoudend Bea kan zijn als zij overtuigd is van haar gelijk," laat hij haar ten slotte mismoedig weten.

„Dat is inderdaad haar zwakke kant," geeft Tineke schoorvoetend toe omdat zij het vervelend vindt, nu Bea er zelf niet bij is, in negatieve zin over haar te praten. „Laten we hopen dat zij er op de een of andere dag zelf achter komt dat haar aanpak de moeilijkheden met je zoon niet oplost. Misschien dat jullie dan toch weer met elkaar tot een vergelijk kunnen komen. Ik neem tenminste aan dat je diep in je hart geen vrede hebt met deze situatie."

Dat de tijd niet stilstaat merken zij tijdens hun gesprek nauwelijks, totdat Tineke op een bepaald moment verschrikt opveert. „Hoe laat is het eigenlijk, Peter? Wij zitten hier maar te redeneren met elkaar zonder ook maar een ogenblik op de tijd te letten." Als Peter haar plagend zijn horloge voorhoudt, betrekt haar gezicht. „Tien uur? Lieve help, dan moet ik maken dat ik hier weg kom. Ik wil niet dat Job ongerust wordt." Over de woordenwisseling die zij vanavond via de telefoon met hem heeft gehad is zij tegenover Peter blijven zwijgen. In vergelijking met de sores die hem voorlopig bezighouden is dat zo'n onnozel gebeuren geweest, dat zij achteraf nauwelijks kan begrijpen waarom zij zich daarover aan het begin van de avond zo druk heeft gemaakt.

Als Peter haar in de garderobe in haar jas heeft geholpen, legt hij even met een bescheiden gebaar zijn hand op haar schouder. „Bedankt, Tineke, dat je vanavond zoveel tijd aan mij hebt besteed. Je hebt er geen idee van hoe opgelucht ik me voel dat ik tenminste eens met iemand over mijn privé-omstandigheden heb kunnen praten." Plagend kijkt zij hem aan. „Ik verwacht natuurlijk wel dat ik, als het ooit nodig mocht zijn, ook bij jou aan mag komen met mijn sores. Voor wat hoort wat, Peter." Maar die opmerking legt hij met een zekere nonchalance naast zich neer. „Bij zo'n fantastisch stel als Job en jij kan het niet verkeerd gaan, Tineke!"

Op dat moment lijkt hij zich te bedenken. „Hoe ben je hier gekomen? Toch niet lopend?" Maar daarin moet Tineke hem teleurstellen. „Als Job de auto mee heeft naar zijn werk kan ik de fiets wel pakken, maar vanavond had ik zin om gewoon even een stukje te lopen. Dat kippeneindje van mijn huis naar hier stelt toch niets voor."

„Dan breng ik je in ieder geval met mijn auto thuis," beslist Peter, terwijl de eigenaar van het bedrijf met een hartelijke groet afscheid van hen neemt en met een galant gebaar de buitendeur voor hen opent. „Ik wil niet dat je zo laat op de avond nog alleen over straat gaat."

Buiten regent het nog steeds. Daarom is Tineke blij dat Peter heeft aangeboden haar met de auto naar huis te brengen. Pas als zij zich met een tevreden zucht naast hem op de voorstoel van zijn auto nestelt, begint langzaam maar zeker weer een gevoel van onrust zich van haar meester te maken. Hoe zal het thuis zijn? Tenslotte loopt het nu al tegen halfelf en zij heeft er geen idee van of Job nog moeite heeft gedaan op haar te blijven wachten. Onder normale omstandigheden zou dat natuurlijk wel het geval zijn geweest, maar na dat onplezierige gesprek van vanavond is zij daarover toch wat onzeker geworden.

Als Peter haar voor de deur van haar huis heeft afgezet en met een extra stevige handdruk afscheid van haar heeft genomen, merkt Tineke onmiddellijk dat het licht in de huiskamer nog brandt. Terwijl zij haar huissleutel tevoorschijn haalt neemt zij zich voor zo gewoon mogelijk op Jobs aanwezigheid te reageren. Door het gesprek met Peter is haar boosheid van daarstraks behoorlijk afgezakt, zodat zij er geen behoefte meer aan heeft zich nog druk te maken over het feit dat Job geen moeite heeft willen doen om de avond van hun trouwdag voor haar vrij te houden.

Als zij een ogenblik later echter geforceerd opgewekt de huiskamer binnenstapt, valt haar oog direct op het weelderige boeket dat op tafel staat. Even blijft zij verbluft in de deuropening staan, maar dan is het Job die al uit zijn stoel is opgestaan en haar zwijgend omhelst.

„Sorry, meisje, dat ik je heb laten zitten vanavond," probeert hij zich te verontschuldigen voor zijn ogenschijnlijk zorgeloze gedrag van de afgelopen uren.

Maar zijn excuus dringt nauwelijks tot Tineke door. „De dag is nog niet om," stelt zij, zichtbaar van haar stuk gebracht, vast. Ze begrijpt dat Job via die bloemen zijn verzuim alsnog heeft willen goedmaken. „Wij hebben nog een heel uur om het eens te worden over het feit dat een trouwdatum het wel degelijk waard is om te worden herdacht. En misschien moet ik dan maar beginnen om je te bedanken voor de moeite die je hebt gedaan om mij toch nog te verrassen. Ik neem tenminste aan dat die bloemen afkomstig zijn van jou." Terwijl Tineke op de tafel toeloopt om het met zorg samengestelde boeket alle aandacht te geven, realiseert zij zich dat het Job in geen geval koud heeft gelaten dat haar verwachtingen voor deze dag door zijn toedoen op een regelrechte tegenvaller zijn uitgelopen. Daarom doet zij haar uiterste best zich zo ontspannen mogelijk tegenover hem te gedragen. Maar omdat zij zich na de teleurstelling die Job haar vandaag heeft bezorgd en de indringende ontmoeting met Peter behoorlijk uitgeteld voelt, slaagt zij daarin maar ten dele.

„Je bent moe," constateert Job terwijl zijn blik bezorgd over haar gezicht glijdt.

„Ach…" Ietwat lusteloos haalt Tineke haar schouders op. „Na dat telefoontje van jou had ik gewoon geen zin meer om hier nog langer in huis te blijven rondhangen. Maar toen ik in dat pas heropende zaakje van Sjaak wat was gaan eten, liep ik Peter Alers tegen het lijf. Hij heeft mij de hele verdere avond gezelschap gehouden."

„Je bedoelt die man van Bea?" Tineke knikt bevestigend. „Ik denk hij blij was eindelijk eens tegenover een vertrouwd iemand zijn hart te kunnen luchten." Job knikt begrijpend. „Het is ook niet niks om na twintig jaar je huwelijk op de klippen te zien lopen."

„Hij voelt zich nogal door Bea in de steek gelaten," onthult Tineke hem. „Ik kreeg trouwens ook de indruk dat hij het alleen-zijn moeilijk aankan."

„Zo'n situatie maakt je als mens natuurlijk extra kwetsbaar," bepeinst Job, terwijl zijn blik een afwezige uitdrukking krijgt. Een ogenblik lijkt hij te aarzelen. Dan bekent hij: „Ik wil wel dat je weet waarom ik je vanavond zo onverwachts heb laten zitten."

„Hè?" Verbaasd veert Tineke op. „Heb ik daar dan belang bij? Jij weet toch zelf het beste waarom bepaalde zaken direct moeten worden afgehandeld. Leuk is het natuurlijk niet als zoiets in je eigen tijd moet gebeuren en zeker niet op een dag als vandaag. Maar je hebt een groot verantwoordelijkheidsgevoel."

Het blijk echter dat Tineke er dit keer met haar veronderstelling naast zit. Aan Jobs gezicht ziet zij dat hij een andere reden moet hebben gehad voor zijn verlate thuiskomst. „Het was niet mijn werk, Tineke, waardoor ik vanavond werd opgehouden," laat hij haar met een ernstig gezicht weten. „Maar net toen ik vanmiddag mijn tas had gepakt om naar huis te gaan, belde Marijke mij."

„Marijke?" Het is duidelijk dat Tineke haar oren nauwelijks kan geloven. „Je gaat mij toch niet vertellen dat die afspraak waardoor je vanavond verstek moest laten gaan met haar te maken had?" Maar als Job haar bekent dat hij er na zijn werk wel degelijk de tijd voor heeft genomen om nog even bij Marijke langs te gaan, verandert de vragende uitdrukking op haar gezicht op slag in één van irritatie.

„Op het moment dat Marijke mij belde leek zij nogal van streek te zijn," probeert hij haar duidelijk te maken dat er voor zijn gevoel geen ontkomen aan was. „Zij deed mij namelijk een vrij onsamenhangend verhaal over de uitslag van een onderzoek dat zij in het ziekenhuis had ondergaan. Omdat er op dat moment niemand was op wie zij kon afreageren, had zij in een opwelling mijn nummer gedraaid."

„Dit slaat werkelijk alles!" Met wijdopen ogen, waarin niet alleen ongeloof, maar een groeiende verontwaardiging is te lezen, staart Tineke hem aan. „Wil jij echt beweren dat je Marijkes moeilijkheden belangrijker vond dan het etentje dat ik speciaal voor jou voorbereid had?"

Het verwijt dat in haar stem doorklinkt lijkt Job echter te ontgaan. „Toen Marijke nog maar een paar woorden had gezegd begreep ik onmiddellijk dat er iets ernstigs aan de hand was. Naar mijn gevoel had zij gewoon iemand nodig die begrip zou kunnen opbrengen voor de paniektoestand waarin zij verkeerde."

„Naar jouw gevoel? Nou, dat gevoel zal wel aardig kloppen! Die vrouw wilde natuurlijk je stem horen en aandacht van je krijgen."

Maar die redenatie veegt Job onmiddellijk van de tafel. „Geen sprake van, Tineke! Op het moment dat Marijke mij belde was zij werkelijk ten einde raad. En daarom had ik niet de moed haar nood te negeren."

„En vond je het volkomen verantwoord om mij hier alleen te laten zitten," vult Tineke zichtbaar verbitterd zijn verklaring aan. „Zelfs toen ik je eraan herinnerde dat dit voor ons toch wel een speciale dag was, bleef je beweren dat de afspraak die je had gemaakt koste wat het kost moest doorgaan. Ik begrijp niet wat je heeft bezield om mij enkel ter wille daarvan zo in de kou te laten staan."

Job geeft niet direct antwoord. Hoofdschuddend kijkt hij Tineke aan. „Waarom geloof je nou niet dat Marijkes telefoontje een regelrechte noodkreet was? Toen wij onlangs bij haar waren beloofde ik haar toch dat zij, als het nodig was, altijd een beroep op mij mocht doen! En voor het feit dat zij mij daaraan vandaag herinnerde, heb ik achteraf alle begrip kunnen opbrengen."

Hoe overtuigend Jobs woorden ook klinken, toch lijken ze op Tineke geen enkele indruk te maken. Nog steeds heeft zij het gevoel dat niet Marijke maar zijzelf vandaag recht had gehad op Jobs onverdeelde aandacht. En daarin is hij naar haar idee op een ongelooflijke manier tekortgeschoten.

„Het interesseert mij niet waarom die vrouw dacht jou nodig te hebben," bijt zij hem toe, „jij had moeten bedenken dat je er, zeker vanavond, voor mij had moeten zijn!"

„Maar als ik je nou vertel…" Voordat Job haar echter kan uitleggen wat precies de reden is geweest van Marijkes telefoontje, valt Tineke hem bits in de rede.

„Je hoeft mij niks te vertellen! Ik wil geen woord meer over dat mens horen, laat staan dat ik er belang bij heb om te weten waarom zij vandaag uitgerekend jouw hulp nodig had. Voor de meeste alleenstaande vrouwen is en blijft een man, of hij nou getrouwd is of niet, toch de meest aantrekkelijke gesprekspartner. En dat had jij door moeten hebben!"

Maar Job lijkt niet van plan te zijn zich door haar insinuaties van de wijs te laten brengen. „Ik geloof dat ik zo langzamerhand iets anders door krijg," stelt hij pijnlijk getroffen vast, „namelijk dat jij nog steeds bezig bent je ten opzichte van Marijke allerlei dingen in je hoofd te halen die nergens op slaan. Als jij denkt dat zij een bedreiging vormt voor onze relatie heb je het mis, want zij is er beslist niet op uit om mij ten koste van jou in te palmen. Ik heb mijn ogen toch niet in mijn zak!"

„En toch wil ik dat je ophoudt die vrouw na te lopen," zet Tineke hem dwingend voor het blok. Hoewel Job zich tot op dit moment zo rustig mogelijk heeft gehouden, lijkt hij daarmee nu toch moeite te krijgen.

„Gezien de omstandigheden waarin Marijke momenteel verkeert is dat een onmogelijk eis, Tineke," laat hij haar vastbesloten weten. „Bovendien zou ik het een heel bedenkelijke ontwikkeling in onze relatie vinden als wij elkaar gingen dwingen om bepaalde dingen al of niet te doen."

„Oké!" Met een kille blik kijkt Tineke hem aan. „Als jij denkt dat het op jouw weg ligt om tegen mijn zin de belangen van je ex-vriendin te blijven behartigen, moet je maar zien wat er van komt."

Met een ruk staat Job op van zijn stoel. „Dus je hebt er helemaal geen begrip voor dat het enkel een gevoel van medemenselijkheid is geweest waardoor ik mij met betrekking tot Marijke heb laten leiden?"

„Nee!" Dat is alles wat Tineke nog over deze kwestie aan hem kwijt wil.

Terwijl zij een vernietigende blik werpt op de bloemenschat waarmee Job haar vandaag op het laatste moment nog heeft verrast, recht zij vastbesloten haar rug en besluit zich niet langer door dergelijke naïeve praatjes voor de gek te laten houden. Als hij denkt haar ongestraft tegen de haren te kunnen instrijken, zal hij vandaag of morgen zelf wel de gevolgen daarvan ondervinden.

„Ik ga naar bed," kondigt zij aan zonder hem verder nog een blik waardig te keuren. „Bedankt voor deze dag! Het duurt gelukkig nog een jaar eer ik mij weer op zo'n feestelijke ervaring zal mogen verheugen."

Nadat zij met een klap de kamerdeur achter zich heeft geslagen blijft Job een ogenblik besluiteloos bij de tafel staan. Ergens snapt hij wel waarom Tineke woedend is. Het was tenslotte niet de eerste keer dat hij hun trouwdag had vergeten. En zijn impulsieve reactie op Marijkes telefoontje had de zaak nog erger had gemaakt. Hoewel…echt spijt van zijn bezoekje aan haar heeft hij nog steeds niet omdat hij bijna zeker weet dat hij haar als mens inderdaad de steun heeft kunnen geven die zij op dat moment nodig had. Het blijft natuurlijk vervelend dat Tineke zich daardoor zo gepasseerd is gaan voelen. Eigenlijk heeft hij zich te laat gerealiseerd dat zij inderdaad met een bepaalde verwachting naar deze bijzondere dag had uitgezien. En daarin heeft hij haar zonder meer teleurgesteld. Met een bezwaard hart zoekt ook Job even later zijn weg naar de slaapkamer, waar hij Tineke al met gesloten ogen en een afgewend hoofd in bed vindt. Het enige wat hij op dit moment nog weet te doen is in stilte om wijsheid te bidden, zodat hij in staat zal zijn haar negatieve gedachtegang met betrekking tot Marijke voorgoed een halt toe te roepen. Onder de gegeven omstandigheden is dat immers de enige manier om haar, zonder Tineke ook maar iets tekort te doen, de komende tijd zo veel mogelijk in het oog te blijven houden. Want dat dit hard nodig zal zijn staat voor hem als een paal boven water. Ondanks Tinekes verweer moet hij daarom maar gewoon proberen vrede te hebben met de manier waarop hij heeft gehandeld. En… zich niet al te veel zorgen te maken over de kwestie die toch weer de harmonie tussen hen beiden heeft verstoord.

6

Peter!" Als Tineke door de telefoon zijn stem hoort springen de tranen haar in de ogen. „Met Tineke!" „ Peter lijkt duidelijk verrast te zijn dat zij al zo gauw na hun laatste ontmoeting uit eigen beweging contact met hem zoekt. Tegelijkertijd bekruipt hem een gevoel van onrust. „Bel je namens jezelf of is er iets met Bea?" Maar als Tineke hem verzekert dat dit laatste beslist niet het geval is, herademt hij. „Volgens mij voel je je nog steeds bij haar betrokken," probeert Tineke de vraag die haar op de lippen brandt nog even uit te stellen. „Maar daarover wil ik het in de toekomst nog wel eens met je hebben. Ik bel je namelijk in verband met een kwestie die mijzelf betreft. Eerlijk gezegd zou ik, als het kan, nog deze week ergens met je willen afspreken om een paar dingen met je door te praten." Het is duidelijk dat haar vraag Peter overvalt. „Waarom met mij?" Even krijgt Tineke het gevoel dat hij eropuit is om de boot af te houden, maar de herinnering aan hun vorige gesprek geeft haar toch de moed om die vraag in alle eerlijkheid te beantwoorden. „Omdat ik veel waarde hecht aan jouw kijk op bepaalde zaken."

Nog steeds lijkt Peter er niet helemaal zeker van te zijn of het verstandig is op haar voorstel in te gaan. „Ik dacht dat Job en jij elkaar in dat opzicht altijd prima wisten te vinden," probeert hij alsnog een argument te bedenken om Tineke ervan te weerhouden de gevraagde afspraak met hem te maken. „Begrijp me goed," betoogt hij op zijn eigen vriendelijke manier, „als je er echt op staat wil ik je best ergens ontmoeten, maar dan liever niet buiten Job om. Dat wij elkaar onlangs tegenkwamen was puur toevallig. Eerlijk gezegd ben ik je nog elke dag dankbaar voor het verhelderende gesprek dat wij toen met elkaar hebben gehad. Maar nu heb ik het gevoel dat ik met dit verzoek Job voor de voeten loop en dat is echt het laatste wat ik wil. Jullie hebben het tenslotte zo goed met elkaar."

„Maar over dat laatste wilde ik het juist met je hebben," laat Tineke hem met trillende stem weten, omdat zij terdege beseft Peter een nadere uitleg verschuldigd te zijn. „Er is iets gebeurd tussen Job en mij waarmee ik absoluut geen raad weet. En ik kan niemand bedenken met wie ik daarover beter zou kunnen praten dan met jou."

„Tja, als de zaken zo liggen," reageert Peter duidelijk verbaasd, „wil ik je natuurlijk best ter wille zijn, maar reken er wel op, Tineke, dat dit de enige reden is waarom ik bereid ben een afspraak met je te maken. Ik weet gelukkig dat je er de vrouw niet naar bent om Job moedwillig te passeren."

Als Tineke enkele minuten later de hoorn op de haak legt, beseft zij een balletje aan het rollen te hebben gebracht dat niet meer valt te stuiten. Maar diep in haar hart is zij blij eindelijk in alle eerlijkheid met iemand te kunnen praten over de spanning die nog steeds tussen Job en haar voelbaar is. Weliswaar heeft zij die zelf opgeroepen, maar intussen is zij er wel achter gekomen dat Job zich tot nog toe niets van haar bezwaren heeft aangetrokken en zelfs met een zekere regelmaat zijn contact met Marijke is blijven onderhouden. De verkrampte manier waarop zij nu al wekenlang met elkaar omgaan, begint haar echter steeds meer tegen te staan.

Als Tineke enkele dagen later tegen zeven uur in de avond Peter ontmoet op de plek waar zij met elkaar hebben afgesproken, valt het hem onmiddellijk op dat zij zich, in tegenstelling tot wat hij van haar gewend is, nogal onzeker gedraagt. En dan begrijpt hij dat zij niet zonder reden een beroep op hem heeft gedaan.

„Wat zullen wij doen?" vragend kijkt hij haar aan. „Ergens een kop koffie gaan drinken of zomaar wat gaan lopen?" Omdat zij zich vlak bij een uitgestrekt wandelgebied bevinden kiest Tineke voor het laatste. „Job komt niet voor negen uur thuis vanavond," laat zij hem weten, „en momenteel is het buiten zo lang licht dat wij daar best gebruik van kunnen maken."

Terwijl zij een willekeurig pad inslaan knikt zij hem dankbaar toe. „Ik had het gevoel dat niemand beter dan jij zou kunnen begrijpen waarom ik mij de laatste weken zo door Job in de steek gelaten voel."

„Dus daar wringt de schoen." Geschrokken legt Peter zij hand op haar arm. „Hoe kan dat nou, Tineke, het heeft tussen Job en jou toch altijd prima geklikt!"

„Jawel… maar soms kan er iets gebeuren waardoor je ongewild toch met elkaar in aanvaring komt." Het valt Peter op dat Tineke moeite moet doen om haar tranen te bedwingen. Daarom maakt hij haar attent op een bank die een eind verderop staat. „Ik denk dat het voor jou gemakkelijker is om te praten als we er even bij gaan zitten."

Als zij op de bewuste plek zijn aangekomen heeft Tineke nauwelijks een aanloop nodig om Peter te vertellen wat haar dwarszit. Deze luistert met toenemend ongeloof naar haar verhaal over Job en diens, in haar ogen, overdreven belangstelling voor zijn ex-vriendin.

„Ik kan mij niet voorstellen dat Job willens en wetens over jouw gevoelens heen walst," merkt hij ten slotte hoofdschuddend op. „Heeft hij je niet verteld waarom hij ondanks jullie meningsverschil toch het contact met die vrouw is blijven aanhouden?"

Tinekes gezicht verstrakt. „Dat heeft hij wel geprobeerd, maar ik heb hem de kans niet gegeven daarover het een of andere onzinverhaal op te hangen. Ik wíl het gewoon niet weten omdat ik vind dat geen enkele reden het onrecht dat hij mij door zijn twijfelachtige gedrag aandoet, kan rechtvaardigen. Als iemand recht heeft op zijn aandacht ben ik het en niet zij!"

Die laatste woorden zijn er bij Tineke zo verongelijkt uitgekomen dat Peter haar een ogenblik onderzoekend aankijkt. „Zolang jij niet weet waarop Jobs hernieuwde belangstelling voor die vrouw is gebaseerd kun je enkel maar afgaan op vermoedens, Tineke," meent hij haar te moeten waarschuwen. „Als je Job in de gelegenheid had gesteld jou zijn beweegredenen aan je duidelijk te maken zou je toch hebben geweten waar je aan toe was?" Maar opnieuw schudt Tineke met een besliste beweging haar hoofd. „Er valt niks uit te leggen, hij moet gewoon kappen met dat mens! In een huwelijk kun je niet van twee walletjes eten."

De verbazing die zich op Peters gezicht aftekent laat niets aan duidelijkheid te wensen over. „Je moet er natuurlijk wel voor oppassen je in deze kwestie niet van de wijs te laten brengen door veronderstellingen die kant noch wal raken, Tineke! Dat Job begaan is met die vrouw en het daarom niet over zijn hart kan verkrijgen zijn handen zonder meer van haar af te trekken, bewijst toch niet dat hij van twee walletjes eet?"

Zijn vergoelijkende woorden lijken bij Tineke in te slaan als een bom. Terwijl er een kleur van boosheid naar haar wangen stijgt zoeken haar ogen ongelovig die van Peter. „Je snapt het niet, man! Heb je er nou echt geen notie van hoe frustrerend het is om te moeten merken dat je als getrouwde vrouw de liefde en steun van je man moet delen met een ander?"

Zichtbaar bezorgd fronst Peter zijn voorhoofd. „Misschien snap ik inderdaad niet waarom jij je gefrustreerd zou moeten voelen. Je kunt Job, ook al is hij je man, er toch niet om veroordelen dat hij ook hart blijkt te hebben voor mensen die, om wat voor reden dan ook, een beroep op hem doen?"

„Hè, hè!" Geërgerd haalt Tineke haar schouders op. „Waar zit je verstand, Peter? Marijke is zijn ex-vriendin, dat heb ik je toch verteld?"

„Jawel, maar voor zover ik weet is Job een uiterst gewetensvol mens en daarom ben ik er van overtuigd dat je hem in deze kwestie moet vertrouwen. Misschien is het goed om je af te vragen of je zelf niet de oorzaak bent van de spanning die er door zijn bemoeiingen met die vrouw tussen jullie is ontstaan."

„Nou breekt m'n klomp!" Verontwaardigd recht Tineke haar

rug. „Ik had gedacht dat ik bij jou begrip zou vinden voor de onmogelijke situatie waarin ik terecht ben gekomen, maar zo langzamerhand begin ik de indruk te krijgen dat jij eropuit bent om Job ten koste van alles de hand boven het hoofd te houden."

Die beschuldiging wijst Peter echter resoluut van de hand. „Ik probeer je enkel duidelijk te maken dat, als je je in deze kwestie enkel laat leiden door je gevoelens en niet door je verstand, jullie verhouding onder enorme druk kan komen te staan. En die ellende wil ik je besparen, Tineke! Er is niets zo slopend als dag in dag uit je eigen gelijk te moeten bevechten. En eerlijk gezegd vrees ik dat je te weinig rekening houdt met de gevolgen die jouw kritiek op Job voor je huwelijk kunnen hebben."

„Dus jij vindt dat die kritiek niet terecht is?" Peter aarzelt. Dan pakt hij in een opwelling van medeleven haar hand. „Zeg eens eerlijk, Tineke, zou jouw ergernis over Jobs gedrag ook niet te maken kunnen hebben met een soort jaloezie? Begrijp me goed, in feite bewijst dat hoeveel zijn liefde je waard is. Maar als je die met geen enkel mens wilt delen en verwacht dat hij uitsluitend rekening zal houden met jouw verlangens en ideeën, zul je daarin vroeg of laat toch teleurgesteld worden. Je kunt niet van Job eisen dat hij, alleen om jou te plezieren, iemand die hem ter harte gaat, zomaar laat vallen?"

„Als zo iemand een gevaar voor onze relatie gaan vormen wel!" stelt Tineke koppig vast. „Ik weet bijna zeker dat zijn ex-vriendin hem op een uiterst geraffineerde manier bespeelt."

„Misschien ben je bezig om jezelf dat wijs te maken, meisje, maar hoe meer je aan die gedachten toegeeft, hoe ingewikkelder je de werkelijkheid voor jezelf maakt!"

Even valt er een ongemakkelijke stilte tussen hen beiden. Dan trekt Tineke wrevelig de kraag van haar jas omhoog. „Laten we maar teruggaan naar de parkeerplaats. Ik heb het koud gekregen op die bank. En ik heb er ook spijt van dat ik jou in mijn privé-zaken heb gemengd. Het lijkt mij het beste dat je dit gesprek maar zo gauw mogelijk vergeet."

„Dat zal moeilijk gaan," stelt Peter zichtbaar bezorgd vast. „Je denkt toch niet dat ik Job en jou dezelfde ellende gun die ik het afgelopen jaar heb meegemaakt?"

„Nou zeg!" Midden op het pad blijft Tineke verontwaardigd staan. „Dat Job en ik van mening verschillen betekent niet dat wij opeens genoeg van elkaar hebben."

Maar haar verweer lijkt nauwelijks indruk op Peter te maken. „Ik denk dat jij er geen idee van hebt hoe moeilijk je het Job maakt als hij voortdurend van jou te horen krijgt dat je Marijke niet vertrouwt. Zolang je hem blijft veroordelen om de oprechtheid waarmee hij op haar veronderstelde intriges ingaat, legt dat gegarandeerd een tijdbom onder jullie relatie."

„Ben je mal," met een zekere zorgeloosheid wuift Tineke zijn bedenkingen weg. „Zo'n vaart zal het heus niet lopen! Maar ik wilde gewoon jouw mening over die kwestie horen. Veel wijzer ben ik er overigens niet van geworden."

„Misschien ben ik inderdaad te hard voor je geweest," verzucht Peter, „maar ik kan het echt niet anders zien. Houd het er maar op dat ik als man waarschijnlijk wat realistischer op dit soort zaken reageer dan jij. Maar reken erop dat ik je wel in de gaten blijf houden, Tineke! Ik zou het verschrikkelijk vinden als deze kwestie tussen Job en jou uit de hand ging lopen."

Maar opnieuw geeft Tineke hem de verzekering dat zij niet van plan is om met die mogelijkheid rekening te houden. „Als hij Marijke niet zelf de wacht aanzegt, doe ik het," verklaart zij strijdlustig. „Die vrouw hoeft niet te denken dat zij een loopje met mij kan nemen."

Nadat zij bij Peters auto zijn aangekomen houdt hij net als de vorige keer het portier uitnodigend voor haar open. „Je bent daarstraks wel met het openbaar vervoer gekomen, maar dat is nu niet nodig. Stap maar in dan breng ik je thuis."

Op het moment dat hij haar na een korte rit thuis afzet, ziet

Tineke in één oogopslag dat Job er nog niet is. En dat stelt haar in ieder geval gerust. Hij hoeft niet te weten dat zij het vanavond zo uitgebreid met Peter over hem heeft gehad.

Als Job een half uur later zichtbaar vermoeid de huiskamer binnenstapt, probeert zij hem daarom zo gewoon mogelijk te begroeten, al kost haar dat wel de nodige moeite.

„Ik neem aan dat je een drukke dag hebt gehad," stelt zij neutraal vast terwijl zij een glas wijn voor hem inschenkt.

„Nogal." Aan de afwezige manier waarop Job antwoordt merkt Tineke dat hij er met zijn gedachten nauwelijks bij is.

„Waar ben je zoal geweest?"

„Ik?" Verbaasd staart Job haar aan. „Gewoon bij klanten met wie ik een afspraak had gemaakt. Maar soms stuit je bij die luitjes op kwesties die zo ingewikkeld zijn dat je na een dag werken aan het eind van je Latijn bent."

„Zoals nu dus," constateert Tineke gelaten terwijl zij hem een schaaltje met zoutjes toeschuift. „Ach, wat zal ik zeggen…" Verstrooid pakt Job zijn wijnglas van de tafel. Het is echter de onderzoekende blik die Tineke hem toewerpt waardoor hij ineens bij zijn positieven lijkt te komen. „Waaraan heb ik deze belangstelling te danken?" vraagt Job, die nu op zijn hoede is.

„Aan mijn gevoel voor intuïtie," dient zij hem zo zelfverzekerd mogelijk van repliek. „Dat bedriegt mij namelijk maar zelden."

„Zo!" Nog opmerkzamer dan zo-even kijkt Job haar aan. „En wat zegt dat gevoel voor intuïtie jou?" Tineke aarzelt. Zij is er niet helemaal zeker van of het verstandig is Job op dit late avonduur opnieuw aan de tand te voelen over de contacten die hij naar haar idee nog steeds met Marijke heeft.

Maar het volgende ogenblik gooit zij toch de knuppel in het hoenderhok. „Dat jij niet alleen moe wordt van de klanten die je overdag bezoekt, maar ook van de betrekkingen die je volgens mij nog altijd hebt met persoonlijke kennissen over wie je je zogenaamd zorgen maakt." Hoewel zij haar best doet haar verklaring zo neutraal mogelijk te laten klinken, lukt dat maar ten dele. Als zij Jobs gezicht ziet betrekken voelt zij dat toch weer de achterdocht, die haar nu al weken parten speelt, de kop begint op te steken waardoor haar stem een ongewone scherpte krijgt.

„Fijn dat je mij daaraan voor de zoveelste keer herinnert." Duidelijker dan ooit beseft Tineke dat zij inderdaad bezig is Job opnieuw uit zijn tent te lokken. Het begint haar steeds meer te irriteren dat hij zich sinds hun laatste woordenwisseling blijkbaar heeft voorgenomen met haar geen woord meer over zijn connecties met Marijke te wisselen.

Even lijkt de herinnering aan Peters waarschuwing van vanavond haar een gevoel van onrust te bezorgen, maar dat weet zij onmiddellijk de kop in te drukken. „Ach…" Quasi nonchalant haalt zij haar schouders op. „Waar maak ik mij druk over! Net zo goed als jij bepaalde geheimen hebt die je voor geen prijs aan mij kwijt wilt, heb ik de mijne. Hoewel…" Een ogenblik haalt zij diep adem, dan besluit zij, vanuit een gevoel van groeiend verzet, hem toch maar duidelijk te maken dat hij niet de enige is die bezig is hun huwelijksgeluk in de waagschaal te stellen. „Ik heb gelukkig Peter bij wie ik terechtkan als jij er geen zin in hebt om mij wat meer duidelijkheid te geven over de twijfelachtige manier waarop jij bezig bent om naast je werk ook de nodige aandacht aan bepaalde privézaken te geven die voor jou blijkbaar belangrijker zijn dan mijn gemoedsrust." Het feit dat haar mededeling hem zichtbaar in verwarring lijkt te brengen, bezorgt Tineke een wonderlijk gevoel van triomf. Maar zij probeert Job daarvan niets te laten merken.

„Peter?" Terwijl in zijn ogen het ongeloof groeit, staart Job haar niet-begrijpend aan.

„Jazeker, Bea's ex-man," verklaart zij gewild zorgeloos. „Op de een of andere manier zijn wij tot de ontdekking gekomen dat het tussen ons uitstekend klikt. En op sommige momenten in je leven kan dat een verademing zijn." Met een ruk buigt Job zich naar haar toe. „Tineke, waar ben je mee bezig?" In zijn vraag klinkt zoveel ontzetting door dat zij beseft haar doel te hebben bereikt.

Jobs zwijgen over zijn contacten met Marijke wordt onmiddellijk onderbroken. „Je denkt toch niet dat ik me achter jouw rug om bezighoud met zaken die onze relatie in gevaar zouden kunnen brengen?"

„Het heeft er wel alle schijn van!" Het is die laatste bijtende opmerking waardoor bij Job opeens de bom barst. „Nou is het genoeg! Besef je wel, Tineke, dat jouw irreële verdachtmakingen bezig zijn de harmonie tussen ons totaal te verstoren? Oké, ik heb Marijke in de afgelopen weken een paar keer tegen jouw wil opgezocht. Maar ik heb je al eerder gezegd dat dit nodig was."

„Kletskoek!" Ook bij Tineke lijken nu alle stoppen te zijn doorgeslagen. „Jij hebt niets bij haar te zoeken, maar als je dat per se wilt ga je je gang maar. Reken er in dat geval dan wel op dat ik in dat opzicht ook mijn grenzen zal weten te verleggen!"

Alle kleur is uit Jobs gezicht weggetrokken. „Kind nog aan toe, je weet niet meer wat je zegt!" Haar gewaagde insinuatie lijkt hem totaal van zijn à propos te hebben gebracht. Zijn woede van zo even heeft plaatsgemaakt voor een diep gevoel van ontgoocheling. Maar Tineke merkt het nauwelijks. Onberedeneerd raast zij verder. „Ik weet best dat ik niet in de schaduw kan staan van jouw Marijke. Zij heeft tenslotte alles wat ik niet heb en is blijkbaar als vriendin voor jou interessanter geworden dan de vrouw met wie je getrouwd bent." Tot Tinekes verbijstering blijkt uit Jobs antwoord echter dat haar onbesuisde uitval hem tot dezelfde conclusie brengt als die welke Peter daarstraks tegenover haar had geuit. „Wil je weten hoe het echt zit, Tineke?" Zichtbaar geraakt kijkt hij haar aan. „Sinds ik weer in contact ben gekomen met Marijke ben jij zo krampachtig bezig geweest jezelf met haar te vergelijken, dat je de werkelijkheid helemaal uit het oog hebt verloren en domweg jaloers op haar bent geworden."

72

„Ik? Jaloers? Kom nou!" Tineke lacht honend. „Heb je gezien hoe die ex-vriendin van jou erbij loopt? Ik zou me schamen als ik zulke aftandse spullen moest dragen. En volgens mij brengt ze alleen een bezoek aan de kapper als het hoognodig is Wat jij in haar ziet is mij een raadsel."

Maar haar venijnige verweer lijkt Job niet van zijn stuk te kunnen brengen. „Ik zal je zeggen wat ik in haar zie, Tineke," laat hij haar zonder meer weten. „Voor mij is Marijke vanaf de dag dat ik haar na al die jaren weer in haar ouderlijk huis ontmoette, een medemens geworden om wie ik niet meer heen kan. Ik geloof namelijk niet in toeval en op de een of andere manier heb ik het gevoel dat de toekomst wel zal openbaren wat de bedoeling is geweest van dit weerzien."

„Om daarachter te komen hoef je niet per se met haar te blijven aanpappen."

Het verzet dat in Tinekes woorden doorklinkt lijkt Job aan te sporen zich te verdedigen.

„Ik had je toch al eerder willen vertellen waarom ik de afgelopen tijd het gevoel had wat extra aandacht aan Marijke te moeten besteden," probeert hij haar voor de zoveelste keer tot rede te brengen, „maar jij wilde daar niets over horen."

„Nee, dat wil ik nog steeds niet!" Tineke kan haar woorden niet langer bedwingen. „Het kan me geen barst schelen."

„Maar mij wel!" Terwijl Job dat zegt lijkt zich een vreemde ontroering van hem meester te maken. Het volgende ogenblik trekt hij haar vastbesloten naar zich toe om met een onverwachte beweging haar hoofd tussen zijn handen te nemen. „Je moet naar mij luisteren, Tineke!" De drang waarmee hij dat tegen haar zegt en de tranen die zij in zijn ogen ziet glinsteren lijken opeens haar weerstand te breken. Het komt zelfs niet in haar op Jobs handen van haar gezicht weg te duwen. Een ogenblik aarzelt hij nog maar dan bekent hij zonder enige terughoudendheid: „Die keer dat Marijke mij belde, je weet wel op onze trouwdag, om te vragen of ik bij haar langs wilde komen, was zij totaal van de kaart. Van haar specialist had zij die morgen namelijk te horen gekregen dat er een ongeneeslijke hersentumor bij haar was ontdekt."

„Hè?" Alle kleur lijkt op dat moment uit Tinekes gezicht weg te trekken. Met een ruk maakt ze zich los uit zijn greep. Haar gezicht is één en al ontzetting. Het volgende ogenblik slaat zij in opperste verwarring de handen voor haar ogen en begint geluidloos te huilen. Het is duidelijk dat Jobs uitleg een verpletterende indruk op haar heeft gemaakt.

Maar Job praat door. Het is alsof hij zich eindelijk wil bevrijden van de druk waaronder hij de afgelopen weken heeft geleefd. „Ik stond die middag voor een levensgroot dilemma, Tineke. Jij wilde dat ik direct naar huis kwam, terwijl ik wist dat Marijke in haar eentje thuis zat met dat verschrikkelijke nieuws wat zij te verwerken had gekregen. Omdat zij haar verhaal gewoon aan iemand kwijt moest, had zij in een impuls mijn telefoonnummer gedraaid. Ik had haar immers beloofd er in tijd van nood voor haar te zijn! Wat zou jij in haar geval hebben gedaan, Tineke? Nieuwe vrienden had zij na haar terugkeer uit het buitenland nog niet kunnen maken, terwijl zij wist dat ook haar broers niet in haar geïnteresseerd waren. Op dat moment wist ik gewoon dat ik haar noodkreet niet kon negeren en besloot ik direct na mijn werk nog even bij haar langs te gaan. Omdat ik dacht dat het beter was jou pas na mijn thuiskomst tekst en uitleg te geven over mijn bevindingen, heb ik je die avond enkel laten weten dat ik, vanwege een dringende afspraak, wat later thuis zou komen. Maar toen ik hier inderdaad anderhalf uur later dan gewoonlijk aankwam, was je er niet en je weet zelf wat er daarna is gebeurd. Je was witheet toen je erachter kwam dat ik Marijkes belang zwaarder had laten wegen dan de viering van onze trouwdag. Sindsdien hebben wij als vreemden naast elkaar geleefd."

„Weet Marijke dat ook?" De onrust in Tinekes ogen spreekt voor zich. Job schudt ontkennend zijn hoofd. „Natuurlijk niet. Het is niet eens in mij opgekomen haar dat te vertellen."

Terwijl Tineke tevergeefs probeert haar gevoel van ontgoo

cheling onder woorden te brengen, praat Job al weer verder. „Ik heb wel de indruk gekregen dat de paar gesprekken die wij met elkaar hebben gevoerd haar een stuk rustiger hebben gemaakt, maar de klap die zij te verwerken heeft gekregen is keihard bij haar aangekomen. En daarom wil ik, als het even kan, ook in de komende tijd een oogje op haar blijven houden."

Tineke is inmiddels als verdoofd op de dichtstbijzijnde stoel neergezakt. „Ik weet niet..." hakkelt zij, „ik begrijp niet..." Met een snik blijft zij midden in de zin steken. Maar als Job met een verzoenend gebaar zijn arm om haar heenslaat klemt zij zich met een van angst vertrokken gezicht aan hem vast. „Ik was zo verschrikkelijk bang dat die Marijke de verleiding niet zou kunnen weerstaan om haar vroegere vriendschaps-banden met je weer aan te knopen, Job. Daarom maakte de extra aandacht die je, buiten mij om, aan haar bleef besteden mij razend! En in zo'n gemoedstoestand loop je soms, eer je het beseft, te hard van stapel."

Terwijl Tineke nog bezig is de mededeling die zij zojuist over Marijke heeft gehoord te verwerken, probeert Job er zo voorzichtig mogelijk achter te komen welke rol Bea's ex-man heeft gespeeld in de gebeurtenissen die de afgelopen weken hun verhouding op zo'n verontrustende manier onder druk hebben gezet.

En dan is het haar beurt om hem alles te vertellen over de contacten die zij tot nog toe met hem heeft gehad. „Wij hebben elkaar twee keer ontmoet," bekent zij haperend, „de eerste keer puur toevallig op de avond van onze trouwdag. Toen hebben wij het voornamelijk over zijn moeilijkheden met Bea gehad. Maar vandaag heb ik zelf contact met hem gezocht omdat ik gewoon met iemand moest praten over de spanning die er al weken tussen ons heerst."

„Begreep hij waarom jij je gefrustreerd voelde?" Even lijkt Jobs vraag Tineke in verlegenheid te brengen. „Nou ja," bekent zij dan aarzelend, „hij had wel begrip voor mijn standpunt maar attendeerde mij er, net als jij, toch op dat ik mijzelf misschien een beeld van Marijke was gaan vormen dat niets met de werkelijkheid te maken had. Eerlijk gezegd viel dat gesprek met Peter nogal tegen, waardoor ik er uiteindelijk geen heil meer in zag hem nog langer met mijn sores lastig te vallen. Toen heeft hij mij netjes met de auto naar huis gebracht en zijn wij gewoon als vrienden uit elkaar gegaan."

De pijnlijke stilte die na er na haar trieste relaas valt, maakt Tineke steeds onzekerder. Daarom vervolgt zij met trillende stem: „Ik denk wel dat ik hem nog moet laten weten hoe de vork precies in de steel heeft gezeten, anders blijft hij de indruk houden dat jij Marijkes belangen bewust boven die van mij hebt gesteld. Maar ik snap nu dat dit nooit je bedoeling is geweest."

„Had je het idee dat Peter je met open armen zou hebben ontvangen als je echt van plan was geweest om blijvend je troost bij hem te gaan zoeken?" Job heeft het gewild luchtig gevraagd, maar Tineke voelt dat haar woedende bewering van daarstraks hem beslist niet koud heeft gelaten.

„Welnee!" Beschaamd schudt zij haar hoofd. „Ik heb het idee dat hij Bea verschrikkelijk mist, dus aan een relatie met een andere vrouw is hij absoluut niet toe."

De opgeluchte blik die Job haar toewerpt bezorgt Tineke opnieuw een gevoel van wroeging over haar onredelijke gedrag.

„Misschien is het goed om binnenkort samen eens een afspraak met Peter te maken," laat Job zijn gedachten hardop de vrije loop. „Ik heb hem altijd als een hoogstaand mens beschouwd. Het is heel sneu dat het leven ook hem de nodige klappen heeft toegebracht, maar misschien is hij juist daardoor wel gaan inzien hoe gemakkelijk wederzijdse meningsverschillen zelfs het beste huwelijk kunnen doen stranden. Ik denk dat hij jou voor die ellende heeft willen bewaren."

Schuldbewust pakt Tineke Jobs hand. „Ik ben zo blij dat ik de rol die jij momenteel in Marijkes leven speelt nu beter kan plaatsen." Job reageert niet direct. Het is duidelijk dat hij toch het gevoel heeft nog iets dieper te moeten ingaan op de zaak die hen beiden zoveel onnodige spanning heeft bezorgd. „Toch niet omdat mijn uitleg je de zekerheid heeft gegeven dat je Marijke vanwege haar ziekte niet langer als je rivale hoeft te beschouwen?"

Op die vrij pijnlijke vraag blijkt Tineke niet zomaar een antwoord te hebben. „Ik weet het niet," verzucht zij, „ik begrijp dat je aan die mogelijkheid denkt, maar ik zal proberen om mijn gevoelens zo eerlijk mogelijk onder ogen te zien."

„Volgens mij kun je daar niet onderuit," stelt Job ernstig vast. „Je hebt Marijke tijdens dat kennismakingsbezoek op een heel beschamende manier laten blijken niet op een verdere toenadering gesteld te zijn."

„Dus jij vindt dat ik niet alleen jou maar ook haar een excuus verschuldigd ben?"

Tineke heeft het zo timide gevraagd, dat Job bijna medelijden met haar krijgt. „Wat denk je zelf?" Zij aarzelt. „Misschien is dat inderdaad nodig, maar ik heb vanavond zoveel te verwerken gekregen dat ik een en ander eerst op een rijtje moet zetten."

„Doe daar dan in de komende tijd je best voor," raadt Job haar aan.

„Ik denk dat het Marijke heel gelukkig zal maken als zij niet langer het gevoel hoeft te hebben dat jij door het contact dat ik met haar wil blijven houden, van streek raakt."

Het is al ver na middernacht als zij voor het eerst na weken weer samen de dag besluiten met een gebed waarin niet alleen hun vernieuwde verbondenheid met elkaar, maar ook de omstandigheden waarin Marijke zich bevindt ter sprake komen. En juist daardoor wordt het Tineke steeds duidelijker dat ook zij zonder meer haar hart voor haar zal moeten openen. Pas dan zal het immers mogelijk zijn Jobs vroegere vriendin te zien als iemand die het volste recht heeft op een onpartijdige benadering.

77

Als zij aan Jobs rustige ademhaling hoort dat de slaap zich al over hem heeft ontfermd vouwt zij in een impuls weer haar handen. Geef mij alstublieft de kracht, God, om deze misser van mijn kant goed te maken, bidt zij geluidloos terwijl opnieuw een gevoel van schaamte zich van haar meester maakt. Het is alleen zo ingewikkeld geworden omdat ik sinds vanavond met andere ogen naar Marijke kijk. Laat het mij toch duidelijk worden dat het niet enkel Marijkes ziekte is die mij het besef geeft dat zij niet langer een bedreiging voor mij vormt, want dan doe ik haar tekort. Het is alleen Uw liefde die onze verhouding in het juiste licht kan stellen… Zuiver daartoe toch mijn hart en mijn gedachten.

Als Tineke zich een ogenblik later voelt wegdoezelen beseft zij één ding heel goed: dat zij zich nooit eerder in haar leven zo afhankelijk heeft gevoeld van Gods bemoeienis met haar leven. En op de een of andere manier geeft die wetenschap haar diep vanbinnen eindelijk rust en wordt zij er steeds zekerder van dat het tussen Marijke en haar – hoe dan ook – goed zal komen.

7

Tjonge!" Vergenoegd glijden Peters ogen in de richting van Tineke en Job, die vanavond bij hem te gast zijn. „ „Wat ben ik blij dat de lucht tussen jullie weer gezuiverd is. Willen jullie wel geloven dat ik me daarover zorgen heb gemaakt?"

De dankbare blik waarmee Job die veelzeggende opmerking beantwoordt spreekt voor zich. „Ik denk dat jij niemand de pijn van een stukgelopen huwelijk gunt," bepeinst hij hardop. „Bij ons liep dat weliswaar niet zo'n vaart. Maar je hebt tenslotte zelf ondervonden dat kleine oorzaken grote gevolgen kunnen hebben." Peter glimlacht een tikkeltje mistroostig. „Het valt inderdaad niet mee om alleen verder te moeten. Ik heb weliswaar geluk gehad dat ik dit appartementje op de kop kon tikken, maar de laatste tijd betrap ik mijzelf erop dat ik steeds vaker mijn heil buitenshuis zoek."

„En dan te bedenken dat Bea hier willens en wetens op heeft aangestuurd," verzucht Tineke. Maar die opmerking probeert Peter toch te relativeren. „Zij heeft dit ook niet gewild, Tineke. Ik heb nog steeds het gevoel dat zij het slachtoffer is geworden van de jarenlange druk die onze zoon door zijn gedrag op haar heeft uitgeoefend. Maar zolang zij dat niet inziet is er geen zinnig gesprek met haar mogelijk."

Omdat er na die constatering een wat drukkende stilte valt is het Peter zelf die het gesprek over een andere boeg gooit. „Het moet voor jullie een hele schok zijn geweest om te horen dat jullie vriendin, over wie Tineke mij onlangs het een en ander vertelde, ongeneeslijk ziek is."

„Zij heeft het Job verteld," legt Tineke hem eerlijkheidshalve uit. omdat zij voelt Peter een nadere verklaring schuldig te zijn. „Je weet dat ik mij aanvankelijk behoorlijk heb opgewonden over Jobs weigering het na jaren herstelde contact met haar weer te verbreken. Maar ik had gewoon geen vertrouwen in een dergelijke vriendschapsrelatie. Pas op het moment dat Job mij confronteerde met de uitzichtloze toestand waarin Marijke zo onverwachts verzeild was geraakt, begon het tot mij door te dringen dat hij zich vooral daardoor zo betrokken bij haar was gaan voelen."

„En nu?" Vragend kijkt Peter van de een naar de ander. Job denkt een ogenblik na. „Nu wil ik er gewoon voor haar zijn als zij mij nodig heeft," verklaart hij dan terwijl hij een zijdelingse blik op Tineke werpt. Het is voor Peter een opluchting te merken dat zij er geen enkele behoefte meer aan heeft zich tegen dat voornemen te verzetten.

„Ik heb met Job afgesproken dat ik haar binnenkort een bezoekje zal brengen om een paar dingen tussen ons recht te zetten," bekent zij hem enigszins aarzelend, „maar dat wil ik pas doen als ik er zeker van ben dat mijn veranderde mening over haar niet berust op medelijden."

Peter snapt onmiddellijk waarom Tineke nog steeds met zichzelf in de knoop zit. „Tja… daarin zul je dus, wat je gevoelens betreft, wel duidelijkheid moeten zien te krijgen. Maar eenvoudig is dat niet."

„Ik wil ook niet de indruk wekken dat ik opgelucht ben omdat zij onder deze omstandigheden geen gevaar meer kan opleveren voor mijn huwelijk," vult Tineke nog steeds wat onzeker aan.

„Dus je weet heel goed wat je drijfveer moet zijn als je echt van plan bent haar, naast Job, nu toch een plaats in je leven te gunnen," concludeert Peter.

„Misschien klinkt het ongeloofwaardig," probeert Tineke, na nog een ogenblik te hebben nagedacht, haar gevoelens zo eerlijk mogelijk te verwoorden, „maar ik denk dat ik haar gewoon mijn vertrouwen moet geven. Alleen dan kan ik een aanvaardbare relatie met haar aangaan."

„Maar daarin zul je jezelf wel blijvend moeten onderzoeken, Tineke," meent Peter haar nog te moeten waarschuwen.

„Ik denk dat het Marijke geweldig goed zal doen als zij merkt dat je gelooft in de oprechtheid van haar vriendschap met ons," merkt Job op terwijl hij Tineke een dankbare blik toewerpt, „zij heeft als mens ons nu immers harder nodig dan ooit."

Als hij Peter daarna terloops het een en ander vertelt over Marijkes pas gekochte boerderijtje en de baan die zij net had aangenomen, lijkt deze ineens een ingeving te krijgen. „Ik moet de volgende week al vroeg in de middag naar het noorden voor het bezoeken van een vakbeurs," laat hij hen weten. „Als je er tegen die tijd aan toe bent Tineke om Marijke te gaan opzoeken, wil ik je met alle plezier bij haar afzetten. Dan kom ik je later in de middag wel weer halen."

Even lijkt zijn voorstel Tineke te overvallen, maar na een korte aarzeling belooft zij hem daarover te bellen als zij zeker weet dat Marijke haar wil ontvangen. „Gemakkelijk vind ik het niet om haar onder deze omstandigheden weer te ontmoeten," bekent zij met een zucht, „het lijkt zo hypocriet, maar ik hoop haar duidelijk te kunnen maken waarom ik aanvankelijk moeite had met haar hernieuwde kennismaking met Job."

Het is pas laat in de avond als Tineke en Job afscheid nemen van Peter. De indringende manier waarop zij met elkaar van gedachten hebben gewisseld heeft hen alle drie het gevoel gegeven dat zij elkaar beter hebben leren kennen dan ooit.

Als Tineke de volgende dag met bonzend hart telefonisch contact zoekt met Marijke, blijkt deze geen enkel bezwaar te hebben tegen haar komst. Na de onderzoeken die zij in het ziekenhuis heeft ondergaan moet zij thuis wachten op nadere berichten inzake een mogelijke behandeling. Maar aan het werk kan zij in geen geval, dus voor haar is iedere afleiding welkom.

En zo komt het dat Tineke de daaropvolgende woensdag tegen halfeen bij Peter in de auto stapt om niet alleen Job, maar vooral ook Marijke het bewijs te leveren dat zij haar niet langer als een sta-in-de-weg voor haar persoonlijk geluk wil zien, maar als een vriendin met wie zij, ter wille van de goede herinneringen die Job aan haar heeft, in alle eerlijkheid wil omgaan.

Als Peter een uur later op zijn bestemming is aangekomen, heeft hij Tineke al in de buurt van Marijkes woning afgezet. Omdat het naar haar idee nog te vroeg is om zich al bij haar te melden, neemt zij er nog even de tijd voor om in de directe omgeving wat rond te wandelen en te genieten van de landelijke rust die er heerst. Onwillekeurig doet het haar denken aan het dorp waar Marijke en Job waren opgegroeid. Zelf zou zij in zo'n eenzame streek voor geen goud willen wonen, maar Marijke zal daar niet voor niets voor hebben gekozen.

Het is tegen drieën als zij voor de tweede keer, maar nu zonder Job, bij haar voor de deur staat.

Kennelijk heeft Marijke haar al zien aankomen, want nog voor Tineke gelegenheid heeft om de bel te laten overgaan, staat zij al in de deuropening om haar te begroeten. Weliswaar oogt zij fragieler dan de vorige keer, maar wat Tineke opnieuw opvalt is de warmte die er van haar persoonlijkheid uitgaat.

„Ik ben zo blij dat je bent gekomen," verzucht Marijke als tussen hen de eerste, nog wat onwennige beleefdheidsfrases zijn uitgewisseld en zij tegenover elkaar in de huiskamer zitten.

„Had je verwacht dat ik je nog eens in mijn eentje zou komen bezoeken?" Het is duidelijk dat Tineke er moeite mee heeft om Marijke te herinneren aan haar vorige bezoek. Deze schudt haar hoofd. „Nee! Toen je na onze eerste kennismaking met Job was vertrokken zei ik tegen mijzelf: Die zet hier nooit meer een voet over de drempel.

Tineke voelt dat zij kleurt. „Dat was ik ook van plan, maar sindsdien zijn er tussen Job en mij wel de nodige woorden gevallen. Pas daardoor ben ik erachter gekomen dat ik de band die jullie in het verleden met elkaar hadden, als een bedreiging voor mijn huwelijk zag. En om daar maar gelijk een stokje voor te steken heb ik toen dingen gezegd die voor jou nogal kwetsend moeten zijn geweest."

Met een begrijpende glimlach haalt Marijke haar schouders op. „Neem maar van mij aan dat ik, vanaf het moment dat ik je zag binnenkomen, wist wat er in je omging en eerlijk gezegd kon ik dat nog plaatsen ook!"

Vanaf dat moment is het ijs tussen hen definitief gebroken.

„Meen je dat?"

„Natuurlijk!" verzekert Marijke haar zonder een zweem van aarzeling. „Als vrouw weet je toch hoe gevoelig dergelijke zaken liggen. Ik vond het alleen jammer dat je zo afstandelijk reageerde, want ik had erop gehoopt in jou een vriendin te vinden met wie ik eindelijk eens een vertrouwelijk gesprek zou kunnen voeren."

„Een vriendin?" Sprakeloos staart Tineke haar aan. „Jobs verhalen over jou hadden mij het idee gegeven dat ik, als het er op aan kwam, niet aan je kon tippen. Niet alleen omdat je mij op intellectueel gebied de baas was maar ook vanwege je maatschappelijke positie. In vergelijking met jou voelde ik mij zo'n onbetekenend mens. En wat je met Job van plan was wist ik ook niet."

„Ik was niets met Job van plan." Het is er bij Marijke zo rustig uitgekomen dat Tineke opnieuw een gevoel van diepe schaamte voelt opkomen. Een ogenblik aarzelt zij nog. Dan bekent zij, duidelijk met de situatie verlegen: „Dat ben ik wel gaan inzien, maar toen ik je de eerste keer ontmoette zat ik zo vol angst en achterdocht, dat ik nauwelijks nog redelijk kon denken."

Marijke geeft niet direct antwoord. Onderzoekend kijkt zij Tineke aan. „Ik neem aan dat Job je heeft verteld met welke boodschap ik kort geleden uit het ziekenhuis thuis ben gekomen?" Met een schuw hoofdknikje beantwoordt Tineke haar vraag. Maar direct daarop verklaart zij geëmotioneerd: „Denk alsjeblieft niet dat ik uitgerekend daardoor anders tegen je ben gaan aankijken, want dat is echt niet zo." Dan vertelt zij haar over het onthullende gesprek dat zij met Peter heeft

gehad. „Hij was degene die mij erop attendeerde dat het misschien wel jaloezie was geweest dat mij tijdens die eerste kennismaking met jou parten had gespeeld. Eerst was ik woedend
omdat ik me door die reactie ronduit te kijk gezet voelde,
maar toen ook Job mij ervan probeerde te overtuigen dat ik je
echt verkeerd had beoordeeld, begon er toch iets bij mij te
dagen."

Als Tineke met tranen in de ogen haar spijt heeft betuigd over
de pijnlijke misser die zij tegenover Marijke heeft begaan,
pakt deze met een hartelijk gebaar haar hand. „Je hebt er geen
idee van hoe opgelucht ik me voel om dit van je te horen,
Tineke. Voor mij is dat, na alle narigheid die er de afgelopen
dagen op mij is afgekomen, zo'n opsteker! Waar ik op het
ogenblik vooral behoefte aan heb is de nabijheid van mensen
die ik kan vertrouwen en met wie ik, als dat nodig is, mijn
gevoelens kan delen."

Het is vooral die laatste ontboezeming waardoor Marijke
ineens haar aanvankelijke zelfverzekerdheid lijkt te verliezen.
Met een verdachte glinstering in haar ogen bekent zij: „Ik kan
nog steeds niet geloven dat het waar is, Tineke, wat die onderzoeken in het ziekenhuis hebben uitgewezen, al voel ik wel
dat er iets met mij aan de hand is waarop ik geen greep heb."

„Ik begrijp het niet," stamelt Tineke, zichtbaar ontdaan nu het
gesprek op Marijkes ziekte is gekomen. „Je lijkt zo flink!
Eerlijk gezegd merk ik nauwelijks aan je dat je niet in orde
bent."

„In het ziekenhuis doen ze er ook alles aan om mij zo lang
mogelijk op de been te houden," legt Marijke haar met een
triest glimlachje uit. „Met wat extra hulp red ik het hier thuis
misschien nog wel een tijdje, maar ik weet natuurlijk niet hoe
dat in de toekomst zal gaan."

Zwijgend probeert Tineke zich in te denken wat het voor
Marijke moet hebben betekend om haar werk, waaraan zij
nog maar kort geleden met zoveel enthousiasme was begonnen, te moeten opgeven. Straks zal zij zich misschien ook nog

moeten losmaken van haar pas aangekochte huis waar zij zich niet alleen thuis, maar ook gelukkig is gaan voelen.

Onwillekeurig overvalt haar een huivering. „Hoe ben je met die werkelijkheid omgegaan, Marijke? Ik bedoel: heeft het je niet verschrikkelijk boos gemaakt dat alles je zo ineens bij de handen is afgebroken?"

„Natuurlijk!" Als zij haar daarna in korte trekken vertelt over de strijd die zij niet alleen met zichzelf maar ook met God heeft gestreden om vrede te krijgen met haar omstandigheden, groeit in Tinekes hart de bewondering voor de moed waarmee Marijke nog naar de toekomst durft te kijken.

„Het leven is nooit gemakkelijk voor mij geweest," verzekert zij Tineke. „Zelfs Job weet niet wat er zich daarin de afgelopen jaren allemaal heeft afgespeeld." Een ogenblik blijft zij met een afwezige blik voor zich uitkijken.

Ineens lijkt zij echter weer tot de werkelijkheid te komen. „Maar het verlies van mijn kind was toch het ergste."

Even lijkt Tineke niet goed te weten wat zij daarop moet antwoorden. „Ik denk dat ik daar niet helemaal in kan komen," hapert zij ten slotte. „Ik bedoel... die zwangerschap is je toch overkomen! Je had dat kind te danken aan een bruut die je domweg overweldigde." Marijke slaakt een verdrietige zucht. „Dat is het onbegrijpelijke van die geschiedenis. Ik heb jullie al eerder gezegd dat die zwangerschap, ondanks de ellende waarin ik op dat moment verkeerde, toch bepaalde moedergevoelens in mij wakker maakte."

„Zijn die dan nooit weggeëbd?" Bijna ademloos heeft Tineke haar vraag gesteld. „Bij mij niet," laat Marijke haar weten. „Het is zelfs zo dat ik mij tot op de dag van vandaag met dat kind verbonden voel. Maar niemand heeft ooit meer een woord over hem gerept, zelfs mijn moeder niet. Blijkbaar was met zijn dood voor haar de kous af. Ik denk dat zij het als een opluchting heeft ervaren dat zij daarover haar hoofd niet meer hoefde te breken."

Tineke weet niet veel anders te doen dan niet-begrijpend haar hoofd te schudden. Toch is er nog één vraag die haar op de lippen brandt. „Heb je er in die tijd nooit aan gedacht om na te gaan hoe het Job intussen was vergaan? Als jij alsnog met hem was getrouwd had jij hem misschien…" Maar nog voor zij de zin kan afmaken valt Marijke haar in de rede. „Ik begrijp waar je heen wilt, Tineke, maar pas kort geleden heb ik Job na jaren weer ontmoet. Al die tijd ben ik ervan overtuigd geweest dat ik, na alles wat er tussen ons mis was gegaan, geen recht meer had op zijn liefde en bewust heb ik dus elke herinnering aan hem verdrongen."

„Toch kun je mij niet wijsmaken dat je het niet moeilijk hebt gehad met die gang van zaken in je leven," bepeinst Tineke terwijl in haar blik het ongeloof groeit. Marijke valt een ogenblik stil. „Natuurlijk heb ik daarover, vooral in het begin, heel wat tranen vergoten, geeft zij ten slotte aarzelend toe, „maar ik heb er ook iets van geleerd, namelijk dat alles wat er in je leven gebeurt een bedoeling heeft en dat God, als Hij een streep haalt door je plannen, altijd iets beters voor je op het oog heeft."

Tinekes aanvankelijke verbazing over Marijkes bekentenis maakt nu plaats voor argwaan. „Dat lijkt mij wel wat al te gemakkelijk gezegd," werpt zij onwillig tegen. „Dan zou je zelfs moeten geloven dat ook jouw ziekte een bedoeling heeft." De afweer die in haar opmerking doorklinkt lijkt Marijke echter niet van haar stuk te brengen. „Voor mij is die ziekte het zoveelste bewijs dat je als mens het leven niet in de hand hebt. Je kunt je nu eenmaal niet onttrekken aan de gebrokenheid van de wereld waarin je leeft. Altijd zul je op de een of andere manier met de gevolgen daarvan te maken krijgen. Waarom God dat toelaat is een ander verhaal. Reken maar dat ik daarover, ook in de jaren die achter mij liggen, heel wat keren met Hem in de clinch heb gelegen. Maar het wonderlijke is dat ik, dwars door alle onbegrepenheden heen, mijn geloof in de betrouwbaarheid van Zijn beleid nooit ben kwijtgeraakt."

86

Wat moedeloos trekt Tineke haar schouders op. „Dat klinkt heel mooi, maar ik vraag mij wel af of jij jezelf niet tot een dergelijke overtuiging dwingt. Ik zou niet weten waarvoor het goed is geweest dat jij destijds niet alleen Job maar ook je kind bent kwijtgeraakt, terwijl je daarna jaren hebt moeten ploeteren om in je eentje nog wat van je leven te maken. En net nu de toekomst er wat rooskleuriger voor je uit begint te zien, breekt alles je weer bij de handen af. Ik kan daar met mijn verstand niet bij!"

„Dat kun je als mens nooit!" geeft Marijke toe. Een ogenblik is het alsof Tinekes aanwezigheid haar ontgaat en zij wordt meegevoerd op de stroom van haar eigen gedachten. Pas na enkele minuten lijkt zij weer tot zichzelf te komen.

Met een vastberaden trek om haar mond probeert zij Tineke te overtuigen van haar ongebroken vertrouwen in de toekomst. „Laten we maar afwachten hoe een en ander zal gaan uitpakken, Tineke. Ik heb nu in ieder geval de zekerheid dat ik, als het nodig is, niet enkel op Job maar ook op jou kan rekenen. En dat op zich is voor mij al een zegen waarop ik niet meer had durven hopen."

Terwijl Tineke die laatste opmerking van Marijke met een dankbare glimlach beantwoordt, veert zij op. Door het huiskamerraam heeft zij Peters auto zien aankomen. Een haastige blik op haar horloge overtuigt haar ervan dat het inderdaad tijd is geworden om haar bezoekje aan Marijke te beëindigen. „Jammer dat je al weer weg moet," merkt deze spijtig op als de deurbel overgaat. Toch neemt zij er nog even de tijd voor om in de deuropening kennis te maken met Peter, omdat zij inmiddels heeft begrepen dat hij de bewuste vriend is geweest die Tineke heeft gewezen op de twijfelachtige aard van de vooroordelen die zij aanvankelijk tegen haar had.

Als Tineke haar even later de hand toesteekt om afscheid te nemen, geeft Marijke haar spontaan een zoen. „Bedankt dat je naar mij toe bent gekomen," voegt zij eraan toe. „Mag ik je nog eens bellen als ik me erg alleen voel?" De hunkering die in Marijkes vraag doorklinkt bezorgt Tineke onwillekeurig een gevoel van ontroering. „Daar reken ik gewoon op," antwoordt zij daarom hartelijk, „en vergeet niet dat Job en ik, als dat nodig is, er voor je zullen zijn!"

Pas als de auto het pad naar de smalle binnenweg is afgereden en Marijkes figuur in de deuropening niet langer is te zien, wendt Peter zich lichtelijk verbaasd naar Tineke, die blijkbaar nog helemaal in de ban is van haar zojuist afgelegde bezoek.

„Dat je gesprek met Marijke jullie verhouding tot elkaar zo positief zou beïnvloeden had ik niet verwacht, meisje," bekent hij eerlijk. „Maar ik denk wel dat het voor Job een opluchting zal zijn. Nu kan hij haar tenminste zonder gewetensbezwaar in de gaten blijven houden."

Tineke knikt afwezig. „Zij is inderdaad anders is dan ik dacht," geeft zij ruiterlijk toe, „onze leefwerelden verschillen wel van elkaar, maar wij blijken toch meer met elkaar gemeen te hebben dan ik voor mogelijk had gehouden. Ik weet nu zeker dat ik mij over haar connecties met Job geen zorgen hoef te maken."

„Heb je haar dat ook laten weten?" Tineke knikt bevestigend. „Dankzij jou heb ik de noodzaak daarvan gelukkig ingezien, hoewel ik aanvankelijk het idee had dat je je absoluut niet kon verplaatsen in de twijfelachtige gevoelens die ik over haar had."

„Misschien voel je als man dat soort dingen anders aan," denkt Peter, „maar ik ben blij dat je de moed hebt gehad om open kaart met haar te spelen. Bekennen dat je ongelijk hebt gehad is nooit gemakkelijk."

Omdat hij de daaropvolgende minuten al zijn aandacht bij het verkeer nodig heeft, stokt hun gesprek abrupt. Pas als hij weer in de gelegenheid is wat meer ontspannen te rijden moet hem toch nog iets van het hart. „Wat onbegrijpelijk toch, dat zo'n mooie vrouw die nog midden in het leven staat, zomaar te horen krijgt dat zij een kwaadaardige ziekte heeft." Tinekes gezicht versombert.

„En toch is het niet te geloven met hoeveel vertrouwen zij nog naar de toekomst kijkt," laat zij Peter weten. „Ik heb de indruk gekregen dat Marijke een heel sterke persoonlijkheid is die zal proberen zo lang mogelijk op de been te blijven." Peter knikt afwezig. Blijkbaar heeft zijn kennismaking met Marijke hem op een onverwachte manier geraakt.

„Het lijkt misschien gek dat ik het zeg," merkt hij aarzelend op als zij de bebouwde kom van hun eigen woonplaats binnenrijden, „maar toen ik mij daarstraks aan Marijke voorstelde, had ik het gevoel haar eerder gezien te hebben."

Tineke haalt haar schouders op „Misschien dat je ooit een dubbelgangster van haar bent tegengekomen. Tenslotte is zij nog maar kort in Nederland terug en verbleef zij de eerste tijd in haar ouderlijk huis. Het lijkt mij dus nogal onwaarschijnlijk dat je haar ergens van zou kennen."

„Het was vooral haar gezichtsuitdrukking die mij trof," verklaart Peter met gefronst voorhoofd. „Maar goed, je zult wel gelijk hebben, mijn verbeelding kan mij inderdaad parten hebben gespeeld, al blijf ik het opmerkelijk vinden dat zij mij vanaf het eerste moment dat ik haar zag heel vertrouwd voorkwam."

Als hij Tineke even later bij het hek van haar huis heeft afgezet en zij hem uitbundig heeft bedankt voor de lift, blijkt Job al thuis te zijn.

Met een gespannen gezicht wacht hij haar in de gang op. „Viel het mee?" Zijn vraag waaruit duidelijk zijn betrokkenheid blijkt bij haar ervaringen van de afgelopen middag, bezorgt Tineke opnieuw een gevoel van schaamte. „Het is beter uitgepakt dan zelfs jij had durven denken, Job Berends," geeft zij opgelucht toe. „Marijke wil in de toekomst niet alleen met jou maar ook met mij contact blijven houden!"

Terwijl Jobs gezicht zich geleidelijk aan ontspant vervolgt zij: „Het bleek dat ze heel goed door had waarop de bedenkingen die ik aanvankelijk tegen haar had, gebaseerd waren. Daarom verzekerde zij mij direct dat die argwaan ongegrond was."

„Nou, wat had ik je gezegd?" Zegevierend kijkt Job haar aan. „Ik wist toch dat Marijke, zeker in dat opzicht, door en door betrouwbaar was."

Pas als zij enkele ogenblikken later tegenover elkaar in de huiskamer zitten brengt Tineke wat uitgebreider verslag uit van het verrassende gesprek dat zij met Marijke heeft gevoerd. „Wat mij trof was vooral haar dankbaarheid voor het gesprek dat wij met elkaar hadden, terwijl ik er aldoor van was uitgegaan dat zij qua ontwikkeling ver boven mij stond."

„Dat heb ik je toch al eerder duidelijk proberen te maken," merkt Job hoofdschuddend op. „Marijke heeft er nooit behoefte aan gehad zich tegenover anderen te willen bewijzen. Zij voelt zich in de eerste plaats mens en in die hoedanigheid had zij jou, zeker onder deze omstandigheden, hard nodig." De warmte waarmee hij het heeft gezegd geeft Tineke opnieuw het gevoel dat het tussen Job en haar inderdaad weer goed zit.

Maar als hij informeert naar de indruk die zij heeft gekregen van Marijkes gezondheid, betrekt haar gezicht. „Erg veel heeft zij daarover niet gezegd," bekent zij, „maar ik heb wel begrepen dat haar ziekte niet kan worden onderschat. Daarom is het goed dat jij haar de verzekering hebt gegeven dat zij op jouw hulp kan rekenen. Na alles wat Marijke en ik vanmiddag met elkaar besproken hebben, besef ik dat zij daar recht op heeft." Vooral die laatste zin is er bij Tineke uiterst beschroomd uitgekomen. Maar als Job haar met een impulsief gebaar naar zich toetrekt en zijn opluchting over de belangrijke stap die zij vanmiddag heeft gezet bezegelt met een welgemeende zoen, begint in haar hart een gevoel van ongekende blijdschap door te breken. En daarvoor kan Tineke, na alle spanningen die de afgelopen tijd hun verhouding hebben verziekt, enkel maar dankbaar zijn.

8

Het is enkele weken later als Tineke tijdens de wekelijkse koopavond in het winkelcentrum waar zij doorgaans haar boodschappen doet, Peter tegen het lijf loopt. Hij is ouder geworden de laatste tijd, flitst het door haar heen als zij er even de tijd voor neemt om een praatje met hem te maken.

Gekscherend wijst Peter naar de krat met etenswaren waarmee hij juist naar zijn auto wilde lopen. „Dat hoort er tegenwoordig ook bij, Tineke! Wil je wel geloven dat ik een bloedhekel heb aan dat gesjouw naar de supermarkt? Maar je kunt natuurlijk niet elke dag buiten de deur gaan eten en daarom dwing ik me soms om zelf het een en ander klaar te maken."

„Dat is je best toevertrouwd, hoor!" Bemoedigend knikt zij hem toe. „Ik vind toch dat je het prima doet in je eentje."

Om Peters mond krult zich een cynisch lachje. „Ik geef je op een briefje dat als Bea dit zag, zij geen centje medelijden met mij zou hebben. Die is nog steeds van mening dat ik ten koste van haar voor de weg van de minste weerstand heb gekozen."

Tineke aarzelt. „Moeilijk hoor, om daarover te oordelen. Maar één ding staat voor mij als een paal boven water: dat ik met jullie allebei bevriend wil blijven, al zal dat zo nu en dan best lastig zijn."

Op dat moment lijkt Peter iets te binnen te schieten. „Tussen twee haakjes: ik weet al hoe het kwam dat die vrouw waar je onlangs op bezoek was mij het gevoel gaf dat ik haar meer had gezien"

„Zo?" Een tikkeltje ongelovig trekt Tineke haar wenkbrauwen op. Maar Peter lijkt het serieus te menen, al probeert hij haar onmiddellijk duidelijk te maken dat het beslist niet gaat om een wereldschokkende aangelegenheid. „Eenmaal thuis herinnerde ik mij dat mijn zoon, toen hij nog op de basisschool zat, veel optrok met een klasgenootje op wie hij nogal gesteld was. Ik heb dat kind al jaren niet meer gezien maar de gretigheid waarmee hij genoot van onze gezinssfeer is mij altijd bijgebleven. Het was vooral de onbevangenheid waarmee Marijke mij benaderde, waardoor opeens het beeld van dat bewuste jongetje bij mij boven kwam. Zo zie je maar weer wat een wonderlijke uitwerking de meest eenvoudige gebeurtenissen soms op een mens kunnen hebben."

Tineke knikt nadenkend. „Ik moet bekennen zij inderdaad een innemend mens is. En die indruk moet ook jij van haar hebben gekregen."

Peter is maar al te graag bereid haar daarin gelijk te geven. „Laten wij het daar maar op houden," rondt hij het gesprek af omdat hij begrijpt dat Tineke niet naar het winkelcentrum is gegaan om haar tijd te verpraten.

Met een joviale groet nemen ze afscheid van elkaar. Maar die onverwachte ontmoeting met Peter heeft Tineke er ineens bij bepaald dat zij al weken geen contact meer met Bea heeft gehad. Terwijl zij aanstalten maakt om een winkelwagen voor zichzelf te pakken, neemt zij zich voor vandaag nog een afspraak met haar te maken. Gemakkelijk zal dat niet zijn, want sinds Peter op zichzelf woont is Bea vaker op stap dan vroeger.

Als Tineke ruim een uur later met een volle boodschappentas haar huis weer binnenstapt besluit zij maar gelijk de telefoon te pakken.

Tot haar opluchting blijkt Bea toch thuis te zijn. „Ik dacht al dat je mij had afgeschreven," laat zij Tineke verongelijkt weten, „je hebt zo lang niets van je laten horen." Omdat zij inmiddels heeft geleerd Bea's gemopper met een korrel zout te nemen doet zij ook nu geen moeite zich tegenover haar te verontschuldigen. „Ben je morgenmiddag thuis?" informeert zij rustig. „Dan hoef ik niet naar de zaak en kunnen wij er alle tijd voor nemen om weer wat bij te praten."

„Nee!" Bea's antwoord klinkt nog steeds geprikkeld. „Ik moet tot halfvier werken en na die tijd heb ik een afspraak die ik niet kan verzetten. Maar als het je vanavond schikt kan ik er wel voor zorgen dat ik thuis ben."

Een ogenblik denkt Tineke na. Als zij op Bea's voorstel ingaat zal zij deze week geen avond met Job thuis zijn. Niet alleen hij heeft het de afgelopen weken drukker gehad dan ooit, maar ook zijzelf is 's avonds regelmatig in de weer geweest vanwege een op handen zijnde jubileumviering van de zaak.

Toch heeft zij het gevoel dat Bea, ondanks haar afstandelijke reactie, bij een bezoekje gebaat zal zijn, al zal zij haar wel duidelijk maken dat zij niet van plan is daardoor de goede relatie die zij met Peter heeft te bederven. „Kan het vroeg in de avond? Ik wil graag uiterlijk negen uur weer thuis zijn."

„Oké, dan reken ik op je!" Als de telefoon direct daarna met een klap op de haak wordt gelegd, realiseert Tineke zich dat Bea na het vertrek van Peter harder is geworden in haar optreden. En op de een of andere manier vervult haar dat met een soort onrust die zij ook in de daarop volgende uren maar moeilijk van zich kan afzetten. Daarom is zij blij als zij tegen de avond op de afgesproken tijd bij haar voor de deur staat.

Tot haar geruststelling blijkt Bea minder gestresst te zijn dan vanmiddag. Tineke heeft zelfs het gevoel dat zij blij is met haar komst. Maar als hun gesprek, dat aanvankelijk een vrij neutraal karakter heeft, toch weer terechtkomt bij de zorg om haar zoon en het vertrek van Peter, blijkt Bea daarover nog steeds even verbitterd te zijn. Hoewel Tineke nog wel probeert haar zo voorzichtig mogelijk bij de consequenties van haar starre houding tegenover Peter te bepalen, heeft zij toch de neiging om haar eigen mening over deze ingrijpende kwestie zo veel mogelijk in het midden te laten.

Op een bepaald moment besluit zij daarom het gesprek maar over een andere boeg te gooien. Omdat haar oog op een fotoalbum valt dat binnen handbereik naast haar ligt, probeert zij Bea's aandacht daarop te richten. „Ik heb je zoon al zo'n tijd niet meer gezien. Zitten hier ook nog foto's van hem in?"

Tot haar geruststelling klaart Bea's gezicht als bij toverslag op. Met een zekere gretigheid grijpt zij naar het bewuste foto-boek. „Ik heb het vorige week maar weer eens tevoorschijn gehaald," bekent zij Tineke, „dan beleef ik weer even de tijd van vroeger en zie ik Ton weer voor me zoals hij toen was. Hij is altijd zo'n schat van een jongen geweest. Maar de ellende die wij nu met hem beleven is met geen pen te beschrijven. En dat duurt nou al jaren!"

Hoewel Tineke alle details van Bea's verhaal over de ellende met zoon al ettelijke keren te horen heeft gekregen, grijpt het haar toch weer aan als zij aandachtig naar de foto's kijkt die deze haar met tranen in de ogen laat zien. In de portretten die tijdens zijn schooltijd zijn genomen herkent Tineke inderdaad het jongetje dat destijds de trots van zijn ouders was. Vooral dat open gezicht met die ontwapenende glimlach is een plaat-je! Op dat moment is het alsof zij Job weer hoort zeggen: „Zo zie je maar weer Tineke, dat je het ouderschap beslist niet moet idealiseren."

Zichtbaar onder de indruk wendt zij zich tot Bea. „Het moet heel moeilijk voor je zijn om je kind zo de vernieling te zien ingaan."

Met een driftig gebaar veegt Bea de opkomende tranen uit haar ogen. „Natuurlijk! Zoiets sloopt je! Soms vraag ik mij af hoe lang ik het nog zal kunnen volhouden om Ton de hand boven het hoofd te houden, want de laatste tijd begin ik steeds meer het gevoel te krijgen dat het inderdaad onbegonnen werk is."

„Misschien dat je daardoor ook Peters standpunt wat beter leert begrijpen." Hoewel die laatste opmerking er bij Tineke behoedzaam is uitgekomen, veert Bea als door een speld gestoken overeind. „Peter heeft geen hart in zijn lijf," stelt zij verbitterd vast, „die presteert het om, zonder een hand uit te steken, het leven van zijn zoon naar de knoppen te laten gaan. Maar daar pas ik voor! Reken erop dat ik voor die jongen zal blijven vechten tot ik erbij neerval."

„Ook als hij zelf geen enkele moeite doet om zijn leven anders te gaan aanpakken?"

Bea lacht honend. „Ik kan wel merken dat jij geen kinderen hebt, anders zou je zo niet praten. Mijn moedergevoel staat het eenvoudig niet toe om werkeloos te blijven toezien hoe Ton zijn toekomst vergooit." Hoewel Bea's tactloze opmerking Tineke behoorlijk heeft geraakt, probeert zij dat niet te laten merken. Duidelijker dan ooit begrijpt zij echter waarop de verhouding tussen Peter en Bea is stukgelopen. En ook nu weer heeft zij de neiging om Peters standpunt de voorkeur te geven. Bea zou in moeten zien dat haar zoon een confrontatie met de gevolgen van zijn onverantwoordelijke manier van leven nodig heeft en zeker niet haar medelijden dat zich strijk en zet uit in het vereffenen van zijn schulden.

Zwijgend bladert zij verder in het album, dat nog steeds voor haar op tafel ligt. „Dat is zeker een vriendje van Ton," veronderstelt zij terwijl zij naar een foto wijst waarop hij als opgeschoten knaap met een leeftijdgenoot staat afgebeeld. Bea knikt instemmend. „Ton en hij zijn inderdaad jaren lang onafscheidelijk geweest. Freek woonde namelijk te ver van de school om tussen de middag naar huis te kunnen en daarom kwam hij vaak bij ons zijn boterham opeten." Net als Tineke het fotoblad wil omslaan, is moet zij ineens weer denken aan Peters opmerking over dat klasgenootje van zijn zoon wiens beeld door de ontmoeting met Marijke bij hem naar boven was gekomen. Zou hij deze jongen in gedachten hebben gehad? Omdat haar nieuwsgierigheid is gewekt, buigt zij zich opnieuw over de bewuste foto om verrast te constateren dat Peter gelijk heeft gehad. Het gezicht van Tons vroegere schoolkameraadje lijkt inderdaad dezelfde openheid uit te stralen als dat van Marijke. Maar dat is dan ook alles, want verdere overeenkomsten tussen die twee kan zij echt niet ontdekken. Daarom klapt zij het fotoboek resoluut dicht.

„Ik neem aan dat je zoon toen dat plaatje werd geschoten, nog mijlenver afstand van het leven dat hij nu leidt," moedigt zij Bea aan iets meer te vertellen over die periode in Tons leven, omdat zij vermoedt dat de herinnering daaraan haar gedachten een positieve wending zal geven. Inderdaad ziet zij Bea's ogen oplichten. „In vergelijking met nu is dat de meest zorgeloze tijd geweest die wij als gezin hebben beleefd," geeft zij toe, „maar nadat Freeks ouders waren verhuisd en hij naar een andere school moest, is Ton zijn heil gaan zoeken bij een stel oudere klasgenoten die er een nogal ruige levensstijl op nahielden. Nou ja, dat is dus het begin geweest van de kopzorgen die wij ons sindsdien over hem hebben gemaakt." Terwijl Bea voor de zoveelste keer haar hart bij Tineke uitstort, lijkt haar ineens iets te binnen te schieten. „Kort geleden liep ik die bewuste Freek nog onverwachts tegen het lijf. Als hij mij niet had herkend was ik hem gegarandeerd voorbij gelopen. Dat joch was zo veranderd!" Haar gezicht versombert. „Aan de ene kant was dat een heel verrassend weerzien maar aan de andere kant hield ik er een enorme kater aan over."

„Hoezo?"

„Nou ja…" legt Bea met een zekere moedeloosheid uit, „omdat die ontmoeting mij nog eens weer met mijn neus op het feit drukte dat Ton niets met de toekomstkansen die Peter en ik hem hebben gegeven, heeft gedaan. Freek bleek inmiddels getrouwd te zijn en ook op maatschappelijk gebied zijn draai te hebben gevonden. Uit zijn verhaal begreep ik dat hij door het overlijden van zijn vader op de gedachte was gekomen om als verpleegkundige te kiezen voor het werk in een hospice, je weet wel, zo'n kleinschalig verpleeghuis waar alleen terminale patiënten worden opgenomen. Nou kijk, als je je op zo'n moment realiseert dat ook je eigen zoon, als hij echt had gewild, op eenzelfde positieve manier in het leven had kunnen staan, kun je wel janken van ellende."

„Tja…" Tineke kan zich levendig indenken hoe radeloos Bea zich soms voelt en beseft ineens dat zij toch moet proberen haar een hart onder de riem te steken. „Misschien kan de gedachte dat jij niet de enige bent die hem graag een betere toekomst zou gunnen je wat houvast geven," merkt zij voorzichtig op, terwijl zij zich tegelijkertijd verbaast over de wat ongebruikelijke draai die zij hun gesprek heeft durven geven. „En dan denk ik niet direct aan Peter maar aan God, die volgens mij ook verdriet heeft van de gang van zaken in jullie gezin. Als je Hem in je frustraties laat delen moet je, volgens mij, toch het gevoel krijgen dat je er in deze kwestie niet helemaal alleen voor staat."

Maar voor Bea blijkt die suggestie een regelrechte dooddoener te zijn. „Ik houd niet van dat onrealistische geklets," laat zij Tineke weten. „Peter had daar ook een handje van, maar ondertussen liet hij Ton rustig in zijn sop gaar koken." Even lijkt Bea's bitse reactie Tineke van haar stuk te brengen. Maar het volgende ogenblik weet zij het toch op te brengen om de gevoelens die het gesprek met Bea bij haar naar boven hebben gebracht zo eerlijk mogelijk te verwoorden. „De afgelopen tijd zijn er ook in het leven van Job en mij dingen gebeurd waarmee ik enorm in mijn maag heb gezeten, Bea. Maar juist daardoor ben ik opnieuw tot de ontdekking gekomen dat er een hogere Macht is die, vaak buiten ons om, al bezig is de zaken waarmee wij geen raad weten, op Zijn eigen manier te regelen. En als jij het zou kunnen opbrengen om daarop te vertrouwen, zal de zorg die je over je zoon hebt misschien toch minder zwaar op je drukken."

„Ach…" Vertwijfeld trekt Bea haar schouders op. „Ik zal wel zien hoe lang ik het volhoud om Ton de hand boven het hoofd te houden. Als Peter ons niet in de steek had gelaten zou ik er financieel stukken beter voor hebben gestaan, maar die bekommert zich niet meer om de toestand hier in huis en leeft zijn eigen egoïstische leventje.

„Denk je dat het Peter niet kan schelen hoe Ton en jij eraan toe zijn?"

Als een furie schiet Bea overeind. „Natuurlijk denk ik dat! Als hij ook maar een greintje gevoel voor ons had gehad zou hij hier niet zomaar de deur achter zich hebben dichtgetrokken. Maar meneer was van mening dat, hoe ellendiger Ton eraan toe was, hoe eerder de kans erin zat dat hij bij zijn positieven zou komen. Dat was natuurlijk het meest idiote idee wat ik ooit heb horen verkondigen en dat heb ik hem laten weten ook! Je laat je bloedeigen kind toch niet met open ogen de vernieling ingaan."

Terwijl in Bea's tegenwerping opnieuw haar diepe verontwaardiging doorklinkt, realiseert Tineke zich dat, hoe liefdeloos Peters standpunt ook lijkt, hij toch het gelijk aan zijn kant heeft. „In bepaalde gevallen kan dat misschien nodig zijn," probeert zij daarom zo tactvol mogelijk op Bea's laatdunkende opmerking in te gaan. „Als je zoon niemand meer heeft op wie hij kan terugvallen, zal het misschien eindelijk tot hem gaan doordringen waar hij mee bezig is."

„Ach, wat weet jij van dat soort dingen af?" In de vernietigende blik die Bea haar toewerpt ligt zoveel afweer te lezen dat Tineke die hatelijke opmerking maar voor lief neemt.

„Ik verbeeld mij echt niet de wijsheid in pacht te hebben," geeft zij daarom ronduit toe, „maar de toestand waarin Peter en jij verzeild zijn geraakt heeft mij wel duidelijk gemaakt dat het ouderschap, waarnaar Job en ik jarenlang tevergeefs hebben gehunkerd, toch niet altijd zo ideaal is als het lijkt."

Tot haar schrik merkt zij dat haar reactie Bea dieper treft dan zij had verwacht. De aanvankelijke felheid in haar houding begint in ieder geval plaats te maken voor een toenemende verslagenheid die zij niet langer weet te verbergen. „Wil je wel geloven dat ik soms zelf niet kan begrijpen hoe het tussen Peter en mij zo totaal mis is gegaan?" verklaart zij, zichtbaar geëmotioneerd. „Natuurlijk, onze meningen verschilden en daardoor hadden wij steeds vaker slaande ruzie, maar nu ik erachter sta geloof ik dat het vooral mijn angst is geweest om Ton te verliezen waardoor ik pertinent ben blijven weigeren mij bij Peters aanpak neer te leggen."

„Zojuist beweerde je nog dat die aanpak berustte op het meest idiote idee dat je ooit had horen verkondigen," verbaast Tineke zich over Bea's tweeslachtige manier van reageren.

„Dat zegt mijn hart," probeert Bea zich alsnog tegenover haar te rechtvaardigen, hoewel de onzekere uitdrukking op haar gezicht verraadt dat haar verstand langzamerhand toch een andere taal lijkt te gaan spreken.

Na een ogenblik te hebben gezwegen bekent zij zichtbaar terneergeslagen: „De laatste tijd krijg ik steeds vaker het gevoel dat Ton gewoon een loopje neemt met de manier waarop ik probeer hem tegemoet te komen."

„Zou het geen tijd worden daarover toch nog eens een gesprek met Peter aan te gaan?" Enigszins aarzelend heeft Tineke haar vraag gesteld. „Misschien zou het voor jullie allebei verhelderend kunnen zijn om, na al dat geruzie, de zaken met elkaar op een rijtje te zetten."

„Waarom denk je dat?" De argwaan in Bea's ogen spreekt voor zich. „Ik zou bijna gaan geloven dat jij nog contact heb met Peter sinds wij uit elkaar zijn." Onwillekeurig wekt de afkeurende toon waarop zij het heeft gezegd bij Tineke een gevoel van irritatie op. „Natuurlijk heb ik dat! Je denkt toch niet dat ik Peter ter wille van jou ben gaan mijden?" Om haar bewering kracht bij te zetten vertelt zij Bea daarop onomwonden over de ontmoetingen die zij de afgelopen tijd met hem heeft gehad. „Volgens mij heeft Peter echt verdriet over het uiteenvallen van jullie gezin," verzekert zij Bea, „in ieder geval komt hij op mij over als een doodeenzaam mens."

Ondanks dat Bea pertinent weigert op die veronderstelling in te gaan en het gesprek onmiddellijk over een andere boeg gooit, laat Tineke haar nog wel weten dat hij haar onlangs, toen zij ergens in het noorden van het land een kennis wilde bezoeken, nog een lift heeft gegeven. Hoewel zij begrijpt Bea over de aard van het contact dat zij met Jobs vroegere vriendin heeft gekregen wel enige uitleg verschuldigd te zijn, heeft zij er geen behoefte aan in details te treden.

„Weet je wat ik zo frappant vind?" vertrouwt zij haar echter wel toe, „dat Peter, toen hij haar ontmoette, ineens aan die vroegere schoolvriend van jouw zoon moest denken. En nu hoor ik nota bene van jou dat die jongen als verpleegkundige in een hospice werkt." Omdat zij merkt dat Bea geen touw aan haar reactie kan vastknopen, besluit zij haar toch maar uit te leggen waar die opmerking op slaat. Zo summier mogelijk vertelt zij haar daarom welke boodschap Marijke nog maar kort geleden van haar arts te horen heeft kregen. „Omdat er van haar familie weinig steun valt te verwachten hebben Job en ik beloofd haar de komende tijd zo veel mogelijk in het oog te blijven houden, snap je? Momenteel kan zij zich thuis nog wel redden, maar wij hebben er geen idee van hoe haar ziekteproces zal verlopen. Daarom kreeg ik ineens het gevoel dat jouw verhaal over die Freek een soort vingerwijzing zou kunnen zijn die Job en mij misschien eens van pas kan komen."

Ongelovig staart Bea haar aan. „Een vingerwijzing? Meen je dat nou echt? Dat ik het met jou over Freek heb gehad was niet meer dan een bijkomstigheid. Het gaat mij te ver om dat met het oog op Marijke als een bovennatuurlijk teken te zien." Toch lukt het Tineke met geen mogelijkheid zich los te maken van die laatste gedachte.

„Ik blijf het typisch vinden dat ook Peter over die jongen begon toen ik hem vanmiddag tegenkwam," stelt zij aarzelend vast. „Ik heb toch het gevoel dat het goed is om zijn adres te noteren." Maar Bea lijkt die laatste opmerking niet eens meer te horen. „Dus jij hebt Peter vandaag nog gesproken!" stelt zij misprijzend vast, terwijl zij tot Tinekes verwondering toch haar adresboekje pakt om Freeks adres op te zoeken.

„Voor het geval dat je er inderdaad gebruik van zou willen maken," laat zij Tineke cynisch weten als zij haar even later een papiertje overhandigt waarop de gegevens zijn neerge-krabbeld.

Als Tineke een half uur later aanstalten maakt om naar huis te gaan, heeft zij de indruk dat haar bezoek toch iets goeds heeft uitgewerkt. Niet zozeer vanwege het adres dat Bea haar heeft meegegeven, maar vooral omdat zij heeft gemerkt dat haar pleidooi voor Peters opstelling in die kwestie met hun zoon, Bea toch niet helemaal koud heeft gelaten.

Eenmaal thuis kan Tineke niet nalaten haar gevoelens over de emotionele last die Bea na het vertrek van Peter te dragen heeft gekregen met Job te bespreken.

„Zolang Bea weigert haar eigen gelijk ter discussie te stellen, zal zij met de gevolgen daarvan moeten zien te leven," stelt hij echter met een zeker nuchterheid vast. „Als zij bewust haar ogen blijft sluiten voor Tons gebrek aan verantwoordelijkheidsgevoel begrijp ik best dat Peter en zij niet meer door één deur kunnen. Volgens mij heeft hij, net als Bea, het beste met zijn zoon voor, maar probeert hij daarin wel reëel te blijven."

„Maar dat heeft hem wel zijn huwelijk gekost," bepeinst Tineke met een zorgelijk gezicht, „terwijl ik bijna zeker weet dat zij zich daar geen van beiden gelukkig bij voelen. Het leven is toch veel te kort om er zo'n warboel van te maken."

Even trekt Job haar met een impulsief gebaar naar zich toe. „Ik denk dat vooral Marijkes ziekte ons dat duidelijk heeft gemaakt," laat hij zijn gedachten een ogenblik de vrije loop. „Ik beschouw het tenminste nog steeds als een zegen dat wij de spanningen die kort geleden ook onze relatie dreigden te verzieken, tijdig een halt hebben kunnen toeroepen."

Het is die constatering waardoor Tineke ineens weer denkt aan het briefje dat zij van Bea heeft meegekregen. Maar als zij Job uitlegt waarom zij Freeks adres heeft genoteerd, reageert deze vrij terughoudend. „Laat dit alsjeblieft tussen ons blijven, Tineke," dringt hij er duidelijk geschrokken bij haar op aan, „het is toch nergens voor nodig om zover vooruit te denken. Marijke heeft nog maar net te horen gekregen wat er met haar aan de hand is. Als de behandeling die zij momenteel krijgt aanslaat is er voor haar nog alle hoop op een redelijk bestaan." Even lijkt zijn reactie Tineke van haar stuk te brengen. „Eerlijk gezegd heb ik dat ook wel overwogen," bekent zij, wat minder zeker van zichzelf dan zo-even, „maar toch kon ik de gedachte aan die Freek, zoals Bea hem noemde, niet meer kwijtraken." Gelukkig lijkt Job wel te begrijpen waarom de bijzonderheden die Bea haar heeft verteld over Tons vroegere schoolvriend Tineke hebben geraakt. Daardoor komt hij zelfs tot de slotsom dat het, vooral met het oog op Peter, misschien toch geen kwaad kan om Freeks adres bij de hand te hebben. „Denk je dat hij ervoor zou voelen om die bewuste knaap nog eens te ontmoeten?" informeert hij, na een ogenblik te hebben nagedacht. „Als dat zo is zouden wij hem misschien met ons drieën eens een bezoekje kunnen brengen. Dan heb jij tenminste ook het idee de stem van je hart te hebben gevolgd." Totaal verrast door die onverwachte ommekeer in Jobs gedachtegang kijkt Tineke hem aan. „Je bedoelt dat wij samen met Peter..." Halverwege de zin breekt zij af. Dan buigt zij zich met een ruk naar hem toe. „Wees eens eerlijk Job, ergens heb jij toch ook het idee dat het heel zinnig zou kunnen zijn om die Freek een keer te ontmoeten?" Met een vaag gebaar haalt Job zijn schouders op. „Niet met het oog op Marijke," stelt hij opnieuw met een zekere koppigheid vast, „maar ik heb wel het gevoel dat wij iets van zo'n bezoek zouden kunnen opsteken." Ongemerkt hebben Tinekes ogen een afwezige uitdrukking gekregen. „En toch blijf ik erbij," houdt zij vast aan haar eigen mening, „dat er soms dingen in je leven gebeuren waarvan je intuïtief weet dat ze het waard zijn om in gedachten te houden." Maar het volgende ogenblik realiseert zij zich dat Jobs onverwachte voorstel er natuurlijk wel om vraagt afspraken te maken. „Zal ik Peter hierover aanschieten of wil je dat liever zelf doen?" Quasi plagend knikt hij haar toe.

„Jij hebt de laatste tijd meer contact met Peter gehad dan ik, dus vertel jij hem maar welk plan wij hebben bedacht."

Een ogenblik aarzelt Tineke nog. „Je staat er toch wel achter?" informeert zij om eventuele misverstanden te voorkomen. „Of is het enkel je bedoeling Peter een pleziertje te bezorgen?"

„Ik denk het laatste," geeft Job toe, „want het idee om het werkterrein van die knaap en Marijkes ziekte met elkaar in verband te brengen is nog geen seconde in mij opgekomen. Ik blijf er gewoon op hopen dat alles met haar weer goed komt, zodat onze vriendschap alle kans krijgt zich te verdiepen. Jij bent er nu toch ook zeker van dat zij dat dubbel en dwars waard is?"

Tinekes instemmend knikje spreekt voor zich. „Als ik dat direct had durven geloven zou mijn eerste kennismaking met haar minder moeizaam zijn verlopen," verzekert zij hem, „maar Marijke heeft inderdaad alle vooroordelen die ik tegen haar had weten te bezweren en dat beschouw ik nog steeds als een wonder."

Om Jobs mond glijdt een dankbare glimlach. „Ik denk dat dit voor ons allebei een uitdaging is om open te blijven staan voor de zegeningen waarmee het leven je soms op de meest onverwachte momenten komt verrassen. Vriendschappen die je naast je huwelijk hebt kunnen je bestaan op een heel aparte manier verrijken."

En dan beseft Tineke opnieuw dat zij Job daarin enkel maar gelijk kan geven, wat zij hem dan ook met een extra hartelijke zoen laat blijken.

9

Nou, wat heb ik je gezegd?" Met een veelbetekenend knikje probeert Peter om Tinekes aandacht op Freeks „ innemende verschijning te vestigen. „Een kerel om u tegen te zeggen, hè?" Nog geen kwartier geleden zijn ze met z'n drieën aangekomen in het vrij onopvallende rijtjeshuis waar Freek werkt. Omdat hij hen na zijn hartelijke ontvangst even voor een dringende aangelegenheid alleen heeft moeten laten, hebben zij nu alle gelegenheid om onder het genot van een kop koffie vrijuit met elkaar van gedachten te wisselen over de eerste indrukken die de omgeving op hen heeft gemaakt. Tineke had zich een totaal andere voorstelling gemaakt van de plek waar zij zijn beland en heeft moeite om zich te realiseren dat het hier echt om een huis met doodzieke mensen gaat. Job is vooral verbaasd over de sfeervolle aankleding van het geheel. „Typisch," merkt hij op terwijl hij zijn ogen over het warm getinte meubilair laat glijden, „zo te zien is dit een gewoon huis in een onopvallende straat en toch weet je dat je te doen hebt met een zorginstelling."

„Ik denk dat het juist de kleinschaligheid van dit project is dat de patiënten een gevoel van veiligheid geeft," geeft Peter zijn mening weer, „en Freek kennend weet ik, dat het verlenen van dit soort zorg hem op het lijf staat geschreven."

Het valt Tineke op dat er na die laatste opmerking een schaduw over zijn gezicht glijdt en hij zich nauwelijks meer mengt in het gesprek dat zij daarna nog met Job voert over de opzet van dit soort huizen.

„Waar zit je met je gedachten, Peter?" probeert zij hem daarom bewust tot de orde te roepen. Verschrikt kijkt hij op. „Sorry dat ik er even niet bij was met mijn hoofd. Nog steeds zit ik mijzelf af te vragen hoe het toch mogelijk is geweest dat Ton zich zo totaal anders heeft ontwikkeld dan deze knaap." Job knikt begrijpend. „Zoek je de oorzaak bij jezelf?" Maar daarover lijkt Peter geen twijfel te hebben. „Bea en ik hebben hem alle kansen gegeven waarop hij volgens ons recht had, maar op de een of andere manier zijn wij er blijkbaar niet in geslaagd hem ook maar een greintje verantwoordelijkheidsgevoel bij te brengen."

Omdat Freek op dat moment weer binnenkomt is er geen gelegenheid meer om verder op Peters constatering in te gaan. Voor alle zekerheid legt hij nog even aan Freek uit wat de reden is van hun bezoek. Wijzend naar Tineke en Job zegt hij: „Deze vrienden van mij wilden wel eens met eigen ogen zien, hoe het er in een huis als dit toegaat. Heel toevallig hoorden zij van Bea dat jij hier de scepter zwaait en omdat ik het ook wel spannend vond je na al die jaren nog eens terug te zien heb ik maar gelijk de telefoon gepakt om een afspraak met je te maken."

Freek werpt Peter een warme blik toe. „Een verzoek dat ik natuurlijk niet kon weigeren. In het verleden ben ik zo vaak bij jullie over de vloer geweest dat ik nog steeds met dankbaarheid aan die tijd terugdenk. Jammer toch, dat je elkaar dan weer uit het oog verliest, want met Ton heb ik al jaren geen contact meer gehad. Daarom vind ik het geweldig om eindelijk weer iets over hem te horen." Het is Peter, die echter voorkomt dat zich daarover een gesprek ontspint. „Toch is er iets dat ik graag eerst van jou zou willen horen, namelijk waarom een betrekkelijk jonge kerel als jij zich bewust op de verpleging van terminale patiënten is gaan richten. Want dat is toch de bedoeling van dit huis?"

Freek knikt bevestigend. „Omdat de meeste mensen in de laatste fase van hun leven vaak behoefte hebben aan een plek waar zij zichzelf kunnen zijn," legt hij uit. „Niemand sterft graag in een omgeving waar nauwelijks privacy is en allerlei regels de intimiteit van zo'n proces doorbreken. Wij kunnen hier weliswaar niet meer dan vijf gasten verzorgen, maar die krijgen dan ook alle aandacht."

„Een glanzende carrière zit er hier dus niet voor je in," con-

cludeert Peter ietwat verbluft door Freeks uiteenzetting.
„Als ik daaraan behoefte had gehad zou ik hier nooit aan zijn begonnen," bekent deze, „maar dit werk geeft mij zoveel voldoening! Niet alleen op het medische vlak, maar wij proberen ook open te staan voor de emotionele behoeften van onze gasten, want juist dat geeft aan hun naderend einde zoveel betekenis."
„Je moet wel een heel gelukkig mens zijn dat je dit mag doen," merkt Job op, zichtbaar onder de indruk van Freeks betoog. Deze knikt bevestigend. „Dat heb ik ook te danken aan mijn vrouw, mijnheer Berends, die er alles aan doet om van dit huis een echt thuis te maken."
„Daar zal zij wel de handen vol aan hebben," merkt Tineke op met een toenemend gevoel van bewondering voor de toewijding waarmee deze nog betrekkelijk jonge mensen bezig zijn inhoud aan hun leven te geven.
„Inderdaad," beaamt Freek, „daarom is het wel zaak dat je samen voor dit werk kiest."
„Volgens mij hebben de mensen die hier hun laatste levensdagen mogen doorbrengen geluk," concludeert Peter, terwijl hij Freek een bewonderende blik toewerpt.
„Ik denk dat het voor Betty en mij een geluk is dat wij iets voor hen mogen betekenen," verklaart deze echter in alle oprechtheid.
Nadat Freek nog wat uitgebreider op zijn voornaamste bezigheden is ingegaan, kijkt hij op zijn horloge. „Over een kwartier heb ik een bespreking met enkele van onze vrijwilligers, maar ik denk dat Betty u nog wel een korte rondleiding zal willen geven. Of was dat niet de bedoeling?"
Als zij hem alle drie verzekeren graag op dat voorstel te willen ingaan, wendt Freek zich nog een ogenblik tot Peter. „Hoe gaat het toch met Ton? Ik heb er geen idee van wat er van hem is geworden."
Het is Peter aan te zien dat hij schrikt van die vraag. Hij probeert dan ook een rechtstreeks antwoord te omzeilen.

„Als ik daarover met je begin kun je die bespreking wel afschrijven, Freek. Maar ik beloof je binnenkort telefonisch te laten weten hoe de zaken er bij ons thuis voor staan. Afgesproken?" Omdat Freek inderdaad weg moet gaat hij maar al te graag met Peters voorstel akkoord. Net op het moment dat hij met een hartelijke groet afscheid van hen heeft genomen verschijnt er in de deuropening een vlot uitziende jonge vrouw, die hun, nadat zij zich heeft voorgesteld als Freeks echtgenote, uitnodigt voor een rondgang door het huis. Een pittige tante, is Tinekes eerste gedachte, hoewel zij die wijselijk voor zichzelf houdt. Gelukkig is er nog net gelegenheid een zojuist ingerichte kamer te bezichtigen, bestemd voor een nieuwe gast die over een uur zal arriveren.

„Gisteren zijn deze persoonlijke spullen gebracht," vertelt Betty terwijl zij wijst op de gemakkelijke stoel tegenover het bed en de foto's die op het bescheiden wandkastje staan. „Alleen het welkomstbloemetje ontbreekt nog, maar dat zet ik zo dadelijk neer."

„Jullie zijn een uniek stel!" Dat is alles wat Tineke weet te zeggen als zij een half uur later weer met Job en Peter in de hal staat om te vertrekken.

Ook de beide mannen zijn diep onder de indruk van alles wat zij het afgelopen uur hebben gehoord en gezien. Maar Betty wuift Tinekes compliment weg. „Zonder de nodige medische en verpleegkundige begeleiding van buitenaf zouden wij het ook niet redden hoor," verzekert zij hen, „maar gelukkig is dat prima geregeld."

Het is met gemengde gevoelens dat niet alleen Tineke en Job, maar ook Peter de thuisreis weer aanvaarden. Omdat zij nogal wat te verwerken hebben gekregen wordt er onderweg weinig gepraat. Als Tineke echter aan het eind van de rit voorstelt om de middag te besluiten met een eenvoudig etentje dat niet al te veel voorbereidingen vergt, gaan zowel Job als Peter daar grif op in.

De tongen komen pas los als ze zich te goed hebben gedaan

aan de maaltijd die Tineke binnen recordtijd op tafel heeft weten te zetten. Het is duidelijk dat vooral Peter geniet van dit huiselijke gebeuren waaraan hij de afgelopen tijd totaal is ontwend. „Je boft maar met zo'n vrouw," laat hij Job plagend weten, „volgens mij kom je bij haar niets tekort."

Maar het is Tineke die onmiddellijk op die veelbetekenende opmerking inspringt. „Verkijk je daar niet op Peter, ik ben ook niet zo'n gemakkelijke tante."

Het is alsof haar reactie voor hem een aanmoediging is om zijn eigen mislukte huwelijksleven ter sprake te brengen. „Alleen al het feit dat jullie er nog voor elkaar zijn is zo'n zegen, Tineke! Voor Bea en mij is dat verleden tijd geworden."

Nu pas mengt ook Job zich in het gesprek. „Jij weet best dat Tineke en ik ook wel eens met elkaar in de clinch liggen, Peter, maar op de een of andere manier is het ons nog steeds gelukt om via een stevig gesprek onze relatie weer in balans te krijgen."

Verdrietig schudt Peter zijn hoofd. „Met Bea viel echt niet te praten. Zeker als het om Ton ging duldde zij geen tegenspraak. Ergens heb ik wel het gevoel dat ik er goed aan heb gedaan om haar de kans te geven Ton op haar eigen manier aan te pakken, hoewel ik nog steeds hoop dat zij vandaag of morgen tot de ontdekking zal komen dat dit nergens toe heeft geleid."

„Maar als dat gebeurt," probeert Tineke zo voorzichtig mogelijk op Peters laatste opmerking in te springen, „blijf jij er dan van uitgaan dat je geen boodschap hebt aan de geestelijke klap die zij daardoor zal krijgen?" Op het moment dat zij die indringende vraag op hem afvuurt, rinkelt echter de telefoon, zodat Peter haar het antwoord schuldig blijft.

Job, die inmiddels de hoorn van de haak heeft genomen. beduidt Tineke met een veelbetekenend knikje dat het gesprek voor haar is bedoeld.

Terwijl zij zich naar het toestel haast informeert zij en passant: „Wie is het, Job?"

Met een verstolen gebaar maakt hij haar duidelijk dat zij daar zelf wel achter zal komen. Nadat Tineke zich niets vermoedend heeft gemeld zien zowel Job als Peter haar gezicht betrekken. „Weet je dat zeker?" vraagt zij verschrikt.

„Of ik weet waar hij is?" De spanning die in haar stem doorklinkt is nu zo duidelijk merkbaar dat zowel Job als Peter er het zwijgen toe doen en hun blikken bezorgd in Tinekes richting laten glijden. Als om hulpzoekend kijkt zij Job aan. Maar als hij met een aarzelend schouderophalen haar stilzwijgende vraag beantwoordt, begrijpt zij dat hij het aan haar overlaat om met de boodschap die zij heeft doorgekregen, voor de dag te komen.

Het is alsof dat opeens een onontkoombaar verantwoordelijkheidsgevoel bij haar wakker maakt. „Dichterbij dan je denkt, Bea," laat zij daarom openlijk merken met wie zij in gesprek is. „Peter zit momenteel bij ons aan tafel dus als je hem wilt spreken valt dat wel te regelen." Dat Peter haar zelfverzekerde reactie maar matig kan waarderen, is te merken aan de vermoeide zucht die hem ontsnapt, maar blijkbaar heeft hij niet de moed om zich tegen Tinekes zojuist geuite voorstel te verzetten.

Terwijl hij met een trage beweging aanstalten maakt om op te staan, informeert hij zichtbaar verstoord: „Wat heeft ze? Is het echt nodig dat ik aan de telefoon kom?"

Maar daarover laat Tineke geen enkele twijfel bestaan. „Nodiger dan je denkt, Peter! Bea heeft zojuist gehoord dat Ton door de politie is opgepakt vanwege een gewelddadige roofoverval waarbij hij betrokken is geweest."

„Dat doet de deur dicht!" Met een van woede vertrokken gezicht pakt Peter de telefoon van haar over. Maar als hij zwijgend Bea's verhaal over die onverwachte arrestatie heeft aangehoord, lijkt de paniektoestand waarin zij blijkt te verkeren hem toch niet helemaal koud te laten.

„Ik ga direct bij de politie langs om te horen wat er is gebeurd," probeert hij haar niettemin zo zakelijk mogelijk gerust te stellen.

Als hij even later met een klap de hoorn op de haak gooit kijkt hij wat verdwaasd naar Job en Tineke. „Sorry luitjes, dat ik er zo onverwachts vandoor moet, maar ik moet gewoon zien uit te vinden welke ellende Ton zich nu weer op zijn hals heeft gehaald."

Een ogenblik kijkt Tineke hem vragend aan. „Ben je van plan daarover zelf verslag uit te brengen aan Bea of laat je dat aan een van ons over?"

Maar daarover hoeft Peter geen seconde na te denken. „In dit geval is het gewoon noodzakelijk dat ik Bea vanavond nog laat horen wat ik op het politiebureau te weten ben gekomen!" „Dan wens ik je sterkte!" Door de welgemeende toon waarmee Tineke hem moed probeert in te spreken, voelt Peter zich wonderlijk geraakt.

Uit de vertwijfelde blik die hij haar toewerpt begrijpt zij onmiddellijk dat zijn ogenschijnlijk zakelijke aanpak van het probleem waarmee Bea hem heeft geconfronteerd, alles te maken heeft met de behoefte zich tegenover Job en haar groot te houden. Maar dat het gebeurde hem wel degelijk heeft aangegrepen lijdt geen twijfel.

Als Job en zij even later Peters auto horen wegrijden, kijken zij elkaar een ogenblik zwijgend aan. „Die twee hebben het niet cadeau gekregen in het leven," verzucht Job. „Het is te hopen dat zij het in ieder geval dit keer met elkaar eens kunnen worden over de aanpak van deze kwestie."

„Het lijkt mij verschrikkelijk moeilijk," verzucht Tineke, „om het gevoel te hebben dat je als ouders niet alleen bezig bent je kind kwijt te raken, maar ook elkaar. Ik denk dat Peter er daarom vanmiddag geen behoefte aan had om Freek uitgebreid uit de doeken te doen hoe het er momenteel bij hem thuis voorstond."

Terwijl Tineke de tafel begint af te ruimen en Job de vaat in de afwasmachine zet, komt bij hen ongemerkt de herinnering aan hun belevenissen van de afgelopen middag weer boven.

„Ben je nog steeds van mening dat Freek puur toevallig onze weg heeft gekruist?" kan Tineke niet nalaten hem toch nog aan de praat te krijgen over de indrukken die hij de afgelopen middag heeft opgedaan.

Job schudt zijn hoofd. „Puur toevallig is misschien te veel gezegd, maar ik weet ook niet wat wij er verder mee moeten. Wat ik wel heb bedacht is dat het misschien voor Peter een enorme opluchting zou zijn als hij met Freek eens een eerlijk gesprek zou kunnen hebben over de gebeurtenissen die zich de afgelopen tijd in hun gezin hebben voorgedaan."

„Vind je het gek dat hij ertegen op ziet om die jongen daarmee te confronteren?" Het is Tineke aan te zien dat zij zich, vooral na Peters overhaaste vertrek, meer dan ooit bij hem betrokken voelt.

„Natuurlijk niet!" Als Job zich weer in zijn gemakkelijke stoel heeft geïnstalleerd, blijkt hij nog steeds met zijn gedachten bij het onderwerp te zijn dat Tineke zo even heeft aangeroerd. „Als ik Peter was," merkt hij peinzend op, „zou ik er alles voor over hebben om Freek weer met mijn zoon in contact te brengen. Je weet maar nooit waartoe zo'n ontmoeting kan leiden. Jongens zoals Ton zijn vaak gevoeliger voor de benadering van een leeftijdsgenoot dan voor die van hun ouders."

Het is duidelijk dat zijn opmerking Tineke verrast. „Freek heeft wel indruk op je gemaakt, hè," stelt zij vast.

Job knikt bevestigend. „Ik heb het gevoel gekregen dat hij inderdaad een gaaf mens is, zijn vrouw trouwens ook. Vooral de sociale bewogenheid van die twee heeft mij getroffen."

Met die constatering kan Tineke het enkel maar roerend eens zijn.

Net als zij wat later op de avond aanstalten maken om een punt achter de dag te zetten, laat Peter hun telefonisch weten dat Bea en hij het in ieder geval eens zijn geworden over het feit dat Tons aanhouding, hoe tragisch op zich ook, hun wel een gevoel van rust heeft gegeven.

111

„Het klinkt misschien gek," bekent hij, „maar de gedachte dat hij niet langer op straat zwerft, in ieder geval te eten krijgt en een dak boven zijn hoofd heeft, is in zekere zin een opluchting voor ons. Ik kreeg trouwens ook het idee dat Bea eindelijk begint in te zien dat haar manier van omgaan met Ton tot nog toe geen enkel positief resultaat heeft opgeleverd, al is zij er nog niet aan toe dat openlijk te erkennen."

„Ik denk dat niet jij maar iemand anders haar zover moet zien te krijgen," probeert Tineke, die even de hoorn van Job heeft overgenomen, Peter te overtuigen. „Volgens Job en mij zou Freek daarin wel eens een heel belangrijke rol kunnen spelen. Waarom neem je hem niet in vertrouwen?" Aan de andere kant van de lijn blijft het een ogenblik stil.

Dan slaakt Peter een hoorbare zucht. „Ik heb wel besloten Freek te laten weten wat er met Ton aan de hand is, vooral omdat hij zo belangstellend naar hem vroeg. Wat hij met die informatie doet moet hij natuurlijk zelf weten."

Als Tineke, na Peter de nodige sterkte te hebben gewenst, de hoorn neerlegt, kijkt zij Job vragend aan.

„Denk je dat hij Freek ook vertelt dat Tons gedrag die tweespalt in zijn huwelijk heeft veroorzaakt?" Job haalt zijn schouders op.

„Ik weet alleen dat Peter er niet de man naar is om met zijn sores te koop te lopen. Volgens mij heeft het weinig zin om Freek ook daarmee op te zadelen. Die zal hoofdzakelijk geïnteresseerd zijn in nieuws over Ton."

„Een opwekkend verhaal is dat in geen geval," concludeert Tineke. „Diep in mijn hart heb ik nog altijd de neiging om te denken dat wij er, vanwege onze kinderloosheid, maar bekaaid zijn afgekomen in het leven. Toch zou ik op dit moment voor geen goud met Bea en Peter willen ruilen."

En daar kan Job helemaal inkomen. „Laten wij maar dankbaar zijn dat een dergelijk verdriet ons bespaard is gebleven," voegt hij er ernstig aan toe.

Op dat moment lijkt hem ineens iets te binnen te schieten.

Met een besliste beweging trekt hij Tineke nog even naast zich op de bank.

„Weet je waaraan ik de afgelopen dagen heb lopen denken?" Met opgetrokken wenkbrauwen kijkt Tineke hem aan.

„Ook al ken ik je zo langzamerhand van haver tot gort, Job, jouw gedachten lezen kan ik nog steeds niet!"

Maar blijkbaar is hij zo vervuld van het plan waarover hij al langer heeft lopen dubben, dat het hem niet lukt om met dezelfde speelsheid op haar constatering te reageren.

„Volgens mij is Marijke een dezer dagen jarig. Ik maak mij sterk dat zij van plan is daar niets aan te doen. Daarom kwam ik ineens op het idee dat wij die dag misschien wel een feestelijk tintje kunnen geven."

De verraste blik die Tineke hem toewerpt spreekt voor zich.

„Je heb gelijk," geeft zij toe, „onder deze omstandigheden zal Marijke er weinig zin in hebben om haar verjaardag te vieren. Wat ik mij alleen afvraag is of zij iets voor die bemoeiingen van onze kant zou voelen."

„Nou ja…" antwoordt Job, „dat moeten wij afwachten. Maar ik zou haar in ieder geval kunnen voorstellen die dag bij ons door te brengen. Als wij ervoor zorgen dat zij zich niet te veel hoeft te vermoeien, is dat misschien best te realiseren."

Pas op dat moment dringt het tot Tineke door dat Job niet zomaar op het idee is gekomen om Marijke op zo'n bijzondere manier te verrassen. Een ogenblik valt zij stil. Dan werpt zij Job een doordringende blik toe. „Jij blijft wel beweren dat het met Marijkes ziekte niet per se de verkeerde kant hoeft uit te gaan, maar ik vermoed dat je, net zomin als ik, je ogen kunt sluiten voor het feit dat haar toekomst heel onzeker is geworden. Daarom heb je dit plan bedacht. Waar of niet?"

Job is er echter nog niet aan toe zich bij die veronderstelling neer te leggen. „Ik vertrouw er gewoon op dat het met Marijke, hoe dan ook, goed zal komen," verzekert hij Tineke nadrukkelijk. Hoewel zij sterk het gevoel heeft dat Job nog steeds weigert zich aan de realiteit van Marijkes ziekte gewonnen te geven, besluit zij daar nu geen punt van te maken. „Tja, als je het zo ziet..." probeert zij daarom zo positief mogelijk op het door hem geopperde plan te reageren. „Als Marijke er niet tegen opziet om zich nog aan zo'n uitje te wagen, spreekt het toch vanzelf dat ik er alles aan zal doen om het hier voor haar zo prettig mogelijk te maken."

„Dus je vindt het een goed plan?" Uit de opluchting die in Jobs stem doorklinkt maakt Tineke op dat hij toch niet helemaal zeker was geweest van haar reactie op zijn voorstel. Juist daarom kan zij niet nalaten hem opnieuw te bepalen bij de ernst van Marijkes ziekte.

„Ik denk dat jij er nog steeds van uitgaat dat Marijke vandaag of morgen als door een wonder weer de oude zal worden."

Onwillig schudt Job zijn hoofd. „Ik besef best dat Marijkes ziekte genoeg reden tot bezorgdheid geeft, maar ik weiger om direct van het ergste uit te gaan."

„En als die weigering een vergissing blijkt te zijn?"

„Dan zullen wij erop moeten blijven vertrouwen dat er niets in het leven gebeurt buiten God om," stelt Job rustig vast.

„Bij zo'n vaag uitgangspunt kan ik mij echt niet zomaar neerleggen," werpt Tineke ongeduldig tegen. „Je wilt als mens toch weten waarom er dingen in je leven gebeuren waar je met je verstand niet bij kunt!"

Maar daarover lijkt Job wel degelijk te hebben nagedacht. „Ik denk dat het beter is om ervan uit te gaan dat God in staat is om, ondanks alle dingen die ons overkomen, toch Zijn plan met ons leven te verwezenlijken. Daarin vergist Hij Zich nooit!"

„Zou Marijke er ook zo over denken?" Uit de cynische toon waarop Tineke haar vraag heeft gesteld blijkt opnieuw dat zij zich niet zomaar bij Jobs mening kan neer leggen.

„Misschien is het goed daarover bij gelegenheid eens met haar van gedachten te wisselen," stelt hij haar daarom voor.

„Ik weet zeker dat Marijke een gesprek over dat soort dingen niet uit de weg zal gaan." De minutenlange stilte die er daarna tussen hen valt duidt erop dat zij er allebei moeite mee

hebben om zich weer te bepalen bij de realiteit van de veel-
bewogen dag die zij achter de rug hebben.

Het is Job die als eerste een blik op de klok werpt. „Wij moeten er een punt achter zetten, Tineke!" dringt hij er bij haar op
aan terwijl hij vastbesloten opveert van de bank. „Door dat
telefoontje van Bea is het zo'n warrige avond geworden.
Maar morgen moeten we allebei wel weer op tijd aan het
werk." Tineke knikt verstrooid.

„Ik ben benieuwd hoe die zaak met Ton afloopt," bepeinst zij.
„Al met al hebben wij vandaag inderdaad de nodige indrukken moeten verwerken."

„Precies!" Job, die inmiddels is begonnen om in de kamer de
lichten uit te knippen, knikt bevestigend. „En daarom moeten
wij nu maar proberen om die voorlopig naast ons neer te leggen, dan zal de dag van morgen ons wel duidelijk maken op
welke manier wij daarmee verder moeten."

Maar als Tineke en hij even later hun bed hebben opgezocht
kunnen zij toch niet nalaten om in een eenvoudig gebed alle
gedachten en gevoelens die hen de afgelopen uren bezig hebben gehouden, bij God te brengen en nog eens nadrukkelijk
de namen te noemen van hen die daarin een cruciale rol hebben gespeeld.

10

Jongens toch!" Zichtbaar ontroerd kijkt Marijke naar de feestelijk gedekte tafel die Tineke het afgelopen uur ter „ ere van haar komst in gereedheid heeft gebracht. „Hoe zijn jullie op het idee gekomen dit voor mij te doen?" Maar die vraag laten zowel Job als Tineke wijselijk onbeantwoord.

„Alleen al het feit dat je er bent maakt het voor ons de moeite waard om je vandaag eens extra te verwennen," benadrukt Tineke, terwijl Job zich beijvert om Marijke te voorzien van de meest comfortabele stoel die zij in huis hebben. „Ik weet zeker dat je anders je verjaardag gewoon voorbij had laten gaan."

Marijke kan niet ontkennen dat hij daarin gelijk heeft. „Wat zou ik eraan hebben moeten doen?" verweert zij zich ietwat hulpeloos. „Ik heb maar een handjevol kennissen die allemaal te ver bij mij vandaan wonen om zomaar even langs te komen. En op bezoek van mijn familie hoef ik ook niet te rekenen. Daar komt nog bij dat ik momenteel veel minder aankan dan vroeger."

Hoewel die laatste constatering niet direct als een klacht is bedoeld, kan Marijke niet verhinderen dat in haar stem onwillekeurig het verdriet doorklinkt dat zij door haar ziekte te verwerken heeft gekregen.

Het is Job die echter wel degelijk door heeft hoezeer zij haar best doet om haar gevoelens daarover naar de achtergrond te dringen, om te voorkomen er vandaag sprake zal zijn van een mineurstemming.

„Wat een heerlijk huis hebben jullie toch," merkt Marijke bewonderend op terwijl zij haar ogen door de sfeervol ingerichte woonkamer laat glijden.

Haar openlijke waardering doet Tineke goed, al brengt die even weer een gevoel van schaamte bij haar teweeg vanwege de openlijke weerzin waarmee zij Marijke aanvankelijke tegemoet is getreden. En opnieuw beseft zij dat dit een levensgrote vergissing is geweest. Inmiddels heeft zij Marijke niet alleen leren waarderen, maar is zij zelfs van haar gaan houden. Juist daarom is het voor haar een onverdraaglijke gedachte dat er aan hun steeds hechter wordende vriendschap in de nabije toekomst zomaar een einde zal kunnen komen. Maar vandaag wil zij daar niet aan denken.

Terwijl Tineke de laatste hand legt aan de maaltijd waaraan zij geen overvloedig maar wel een feestelijk karakter heeft gegeven, gaat Job op Marijkes verzoek achter de piano zitten.

„Ik heb de laatste jaren niet zo regelmatig meer gespeeld," verontschuldigt hij zich omdat hij vermoedt dat Marijke toch nog wel bepaalde verwachtingen heeft van zijn muzikale prestaties. Maar als hij even later zijn handen over de toetsen laat glijden, herkent zij in de klanken die hij uit het al jaren oude instrument tevoorschijn weet te toveren de melodie van een bekend gezang dat zij hem ook vroeger vaak heeft horen spelen.

Zijn lievelingslied! flitst het door haar heen. Terwijl zij met stijgende ontroering Jobs gevoelvolle spel beluistert, is het alsof de woorden van het bewuste lied opnieuw voor haar tot leven komen en dieper dan ooit tot haar hart doordringen: Beveel gerust uw wegen, al wat u 't harte deert, der trouwe hoed' en zegen van Hem, die 't al regeert. Die wolken, lucht en winden wijst spoor en loop en baan, zal ook wel wegen vinden waarlangs uw voet kan gaan.

Als Tineke enkele minuten later binnenkomt om aan te kondigen dat de maaltijd klaar is, wordt ook wordt geraakt door de verstilde sfeer die door Jobs pianospel in de kamer is ontstaan.

Om hem nog even de gelegenheid te geven zijn improvisatie af te maken, laat zij zich in de dichtstbijzijnde stoel zakken. Terwijl Marijke zichtbaar genietend de bekoring van dit kostbare moment ondergaat, begint Tineke zachtjes de woorden

117

mee te zingen van de melodie die Job tot besluit nog één keer herhaalt: Laat Hem besturen, waken, 't is wijsheid wat Hij doet! Zo zal Hij alles maken dat ge u verwond'ren moet, als Hij, Die alle macht heeft, met wonderbaar beleid, geheel het werk volbracht heeft, waarom gij thans nog schreit.

Nadat Job via een krachtig slotakkoord aangeeft dat hij Tinekes wenk om aan tafel te komen heeft begrepen, lijken zij er echter alle drie moeite mee te hebben om zich los te maken van de gedachten en gevoelens die zijn muzikale bijdrage bij hen heeft opgeroepen.

Met tranen in haar ogen bekent Marijke: „Eerlijk gezegd bid ik nog elke dag om een wonder, al besef ik best dat er, menselijker wijs gesproken, weinig aan mijn ziekte meer te doen is."

Het is echter Job die opmerkt dat die laatste, puur verstandelijke redenering toch niet het laatste woord mag hebben.

„Ik denk dat wij God nooit onze wil kunnen opdringen, Marijke. Dat je bidt om beterschap is begrijpelijk, je bent tenslotte niet levensmoe. Maar misschien heeft Hij voor jou wel een wonder in petto waardoor je op een totaal andere manier tegen je toekomst gaat aankijken, omdat je weet dat je bestaan er voor Hem wel degelijk toe doet."

Om Marijkes mond verschijnt een verdrietig lachje. „Vergeet niet dat mijn bestaan wel de nodige scherven heeft opgeleverd, Job. Weliswaar heb ik daarmee leren leven, maar een aanvaardbaar geheel valt er, volgens mij, bijna niet meer van te maken."

Omdat Tineke maar al te goed weet hoe vaak zij ook zelf twijfelt aan de juistheid van Gods bedoeling met haar levensgang, heeft zij niet de moed om Marijkes sombere constatering aan te vechten.

Het is de deurbel die ineens een eind maakt aan hun onverwachte gesprek.

Verschrikt kijken Tineke en Job elkaar aan. „Als er bezoek is moet je maar zeggen dat het nu niet uitkomt," adviseert zij hem als hij aanstalten maakt om te gaan kijken wie er heeft aangebeld.

Maar aan die waarschuwing denk Job absoluut niet meer als hij tot zijn verrassing Peter in gezelschap van Freek op de stoep ziet staan.

„Nou zeg... Waar komen jullie vandaan?" Verbaasd staart hij van de een naar de ander terwijl hij hun gelijk een wenk geeft om verder te komen.

„Freek heeft een bezoek gebracht aan Ton," legt Peter hem in de gang uit, „en nu hij toch in de buurt was, wilde hij jullie nog even komen groeten."

Ook Tineke is een en al verwondering als zij ziet wie er zo plotseling de huiskamer komen binnenstappen. „Wie had dat nou gedacht," steekt zij haar verbazing niet onder stoelen of banken.

Pas op dat moment ontdekt Peter dat Freek en hij niet bepaald het meest geschikte moment hebben uitgekozen voor hun komst.

„Ik zie dat jullie bezoek hebben en waarschijnlijk net aan tafel wilden gaan," verontschuldigt hij zich terwijl hij met een glimlach van herkenning op Marijke toeloopt om haar te groeten. Nadat ook Freek zich aan haar heeft voorgesteld, valt er even een wat besluiteloze stilte in de kamer. Maar dan is het Marijke die de situatie redt door onomwonden aan te kondigen dat zij vandaag ter ere van haar verjaardag bij Tineke en Job te gast is.

„Om mij hoeven jullie er beslist niet gelijk vandoor hoor," haast zij zich hun te verzekeren. „Ik zou het zelfs leuk vinden als jullie nog even bleven, dan kan ik tenminste ook nader kennis met jullie maken, al weet ik natuurlijk niet hoe Tineke en Job daarover denken."

Freek werpt een vluchtige blik op zijn horloge. „Het lag niet in mijn bedoeling lang te blijven, maar een half uurtje kan er nog wel af."

„Dan stel ik voor om dat half uurtje maar bij ons aan tafel

door te brengen, anders loopt ons etentje ook in het honderd," bedenkt Tineke terwijl zij al bezig is om voor twee personen bij te dekken. „Of hebben jullie daar bezwaar tegen?"

„Een beetje gênant vind ik het wel om jullie zomaar op te zadelen met twee ongenode gasten, die er halverwege de maaltijd al weer vandoor gaan," probeert Peter Tinekes uitnodigend gebaar af te wimpelen. „Hoewel..." Een ogenblik kijkt hij Freek aarzelend aan.

„Wat denk je? Zullen wij toch maar aanschuiven?" Freek werpt hem een geruststellende blik toe. „Een dergelijk aanbod krijg je niet elke dag, Peter! Het is toch geweldig om hier even op zo'n aparte manier te kunnen relaxen." Terwijl Tineke het voorgerecht over vijf coupes verdeelt, werpt zij een snelle blik in Peters richting. „Heb ik het mis als ik veronderstel dat jullie elkaar, ondanks het verschil in leeftijd, als vrienden zijn gaan beschouwen?"

Peter knikt bevestigend. „Ik kan je niet zeggen Tineke, hoe blij ik ben dat Freek er vanmiddag de tijd voor heeft uitgetrokken om niet alleen Bea maar ook Ton te gaan opzoeken. Voor allebei was dat een complete verrassing."

Omdat Job aangeeft met de maaltijd te willen beginnen is Tineke niet meer in de gelegenheid op Peters enthousiaste reactie in te gaan. Maar zij heeft wel door dat het hernieuwde contact met Freek hem inderdaad goed heeft gedaan. En op de een of andere manier geeft haar dat zo'n gevoel van opluchting, dat zij Freek wel hardop zou willen bedanken voor de tijd en de moeite die hij ervoor over heeft gehad om er daadwerkelijk een paar uur voor zijn vroegere schoolkameraad en diens ouders te zijn.

Dat hij inmiddels ook Marijkes sympathie blijkt te hebben gewonnen verbaast haar niets.

Het gemak waarmee hij al direct na zijn binnenkomst op haar is afgestapt heeft haar kennelijk zo geïmponeerd dat zij zichtbaar geniet van de aandacht die hij voor haar aan de dag legt.

„Jammer dat je zo gauw weer weg moet," merkt Marijke op

als ze ziet dat Freek een steelse blik op zijn horloge werpt. Maar in dat opzicht blijkt hij onverbiddelijk te zijn.

„Ik had mij voorgenomen om op de terugweg nog even bij mijn moeder langs te gaan," legt hij Marijke uit, „en dat wil ik gewoon waar maken."

Op dat moment mengt Tineke, die net een kostelijk uitziende groenteschotel uit de oven heeft gehaald, zich in het gesprek. „Dan stel ik voor dat Peter nog wat langer bij ons blijft. Dat geeft mij in ieder geval de garantie dat mijn kookkunst alle eer wordt aangedaan."

Freek is intussen van tafel opgestaan en geeft Peter een vriendschappelijk klopje op zijn schouder. „Tineke wil je graag nog een poosje hier houden, man! Daarom stel ik voor dat wij nu maar gelijk afscheid nemen van elkaar, want voor mij begint de tijd te dringen. Ik blijf contact met je houden en wil graag op de hoogte blijven van de verdere gebeurtenissen in jullie gezin."

„Ons gezín zei je toch?" Vanwege het cynisme waarmee Peter zijn vraag heeft gesteld valt er ineens een wat onbehaaglijke stilte in de kamer. Maar het is Freek die weet te voorkomen dat daardoor de ongedwongen sfeer, waarin zij het afgelopen half uur bij elkaar zijn geweest, wordt verstoord. „Jazeker, dat zei ik," antwoordt hij, terwijl uit zijn houding een wonderlijke vastberadenheid spreekt, „want ik ken Bea en jou goed genoeg om te weten dat jullie jarenlange verbondenheid het uiteindelijk zal winnen van het onbegrip dat er tussen jullie is gerezen. En met Ton wil ik, als het even kan, in gesprek blijven."

Als hij, na Peter te hebben bedankt voor het genoten vertrouwen, met een hartelijke handdruk ook van Marijke afscheid neemt, kan zij niet nalaten nog even terug te komen op het geanimeerd gesprekje dat zij met hem heeft gevoerd. „Fijn dat ik je heb leren kennen, Freek! Ik hoop je in de toekomst nog eens te ontmoeten."

Dat Job en Tineke elkaar, naar aanleiding van die wens, een

blik van verstandhouding toewerpen ontgaat haar.

Als Freek eenmaal is vertrokken, blijkt Peter het als een regelrechte weldaad te beschouwen dat hij nog niet gelijk terug hoeft naar zijn appartement.

„Ik heb het in tijden niet zo gezellig gehad," vertrouwt hij Marijke toe als hij zich na de maaltijd nog even in de gemakkelijke stoel laat zakken die Job al weer voor hem heeft aangeschoven.

Begrijpend knikt zij hem toe. „Ik denk dat het een voorrecht is, Peter, om mensen zoals Tineke en Job tot je vrienden te mogen rekenen."

„Zeker als de dingen in het leven anders gaan dan je had gedacht," beaamt Peter.

Omdat Tineke en Job nog bezig zijn met het afruimen van de tafel, probeert Marijke voorzichtig op Peters laatste opmerking in te haken.

„Wij zitten weliswaar niet in hetzelfde schuitje, maar ik heb toch het idee dat het leven momenteel voor ons allebei verre van eenvoudig is."

Een ogenblik kijkt Peter haar vorsend aan. „Heeft Job je verteld wat er aan de hand is met mijn zoon?"

Marijke schudt ontkennend haar hoofd. „Nee, maar uit de manier waarop je daarstraks met Freek over hem praatte, begreep ik wel dat je het niet bepaald gemakkelijk met hem hebt."

„Tja…" geeft Peter schoorvoetend toe, „ergens begrijp ik nog steeds niet waar ik de moed vandaan heb gehaald om hem in vertrouwen te nemen. Maar toen ik hem kort geleden na jaren weer ontmoette, kreeg ik het gevoel dat het goed zou zijn om eens met hem over de moeilijkheden met mijn zoon te praten. In hun schooljaren waren Ton en hij namelijk gezworen kameraden. Maar nadat Freek vanwege een verhuizing van school moest veranderen is de vriendschap verwaterd en heeft mijn zoon niet echt zijn draai meer kunnen vinden. Al in zijn pubertijd is hij gaan experimenteren met drugs, waardoor hij geleidelijk aan verzeild is geraakt in allerlei toestanden waarover ik maar liever niet wil uitweiden.

Daarom heb ik nu een beroep gedaan op Freeks bemiddeling. Volgens mij is hij een van de weinige mensen die misschien nog tot mijn zoon kan doordringen."

Met een impulsief gebaar legt Marijke haar hand op Peters arm. „Ik hoop voor jou dat hij daarin slaagt, Peter! Het lijkt misschien vreemd, maar ik heb het idee dat je intuïtie je niet heeft bedrogen."

Tineke en Job, die zich inmiddels weer bij hen hebben gevoegd, knikken instemmend. „Freek is inderdaad een uniek mens," bevestigt Tineke. „Job en ik zijn je nog steeds dankbaar Peter, dat jij ons met hem in contact hebt gebracht."

Even valt er een stilte in de kamer. Maar dan is het Job die de mededeling waarmee Freek hem bij het weggaan heeft verrast niet langer voor zich kan houden.

„Weten jullie waarom hij nog langs zijn moeder wilde gaan?" Als de andere drie hem vragend aankijken, verklaart hij triomfantelijk: „Om haar te vertellen dat zijn vrouw en hij hun eerste kindje verwachten. Die jongen was er blijkbaar zo vol van dat hij het niet kon laten mij dat op de valreep nog even te laten weten."

Hoewel het nieuws waarmee Job voor de dag komt bij alle drie een schok van blijdschap en verbazing teweegbrengt, kan Tineke niet verhindert en dat er een schaduw over haar gezicht glijdt.

„Dat is inderdaad het grootste geluk wat je in het leven kunt meemaken," probeert zij echter zo dapper mogelijk de gedachte aan haar eigen onvervulde kinderwens naar de achtergrond te dringen.

Maar daarover lijkt Marijke toch haar twijfels te hebben.

„Als zo'n gebeurtenis je tegen je wil overkomt denk je daar toch anders over."

Hoewel in haar stem geen bitterheid doorklinkt, beseffen zowel Tineke als Job dat het nieuws waarmee deze laatste zojuist voor de dag is gekomen ook Marijke niet onberoerd laat.

Zelfs Peter kan het niet laten om, ondanks de blijdschap die hij voelt voor Freek en zijn vrouw, een relativerende opmerking te maken. „Dat geluk waarover jij het hebt, Tineke, kan soms zomaar veranderen in een nachtmerrie, als je begrijpt wat ik bedoel!"

„Natuurlijk begrijp ik dat!" knikt Tineke, „maar dat overkomt niet iedereen. Ik blijf er toch van uitgaan dat Freek en zijn vrouw de komst van hun kind als een rechtstreekse zegen beschouwen."

„Dat is inderdaad het meest ideale uitgangspunt," geeft Marijke toe. „En daarom gun ik die jongen graag een gelukkig gezinsleven. Ik heb trouwens wel het gevoel dat hij zich daarvoor met hart en ziel zal inzetten."

„Reken maar," valt Peter haar bij, „Freek is zo'n warm voelend mens! Als je eens wist wat een geruststelling het voor mij is dat hij contact met Ton wil blijven houden. Ik ben blij dat ik de moed heb gehad een beroep op hem te doen."

„Zijn moeder zal het volgens mij ook wel geweldig vinden om te horen dat er een kleinkind op komst is."

„Dat hoop ik voor hem." De aarzeling waarmee Peter op die laatste constatering reageert geeft aan dat hij daarover toch zijn bedenkingen heeft.

„Ik heb, eerlijk gezegd, nooit zo goed hoogte kunnen krijgen van de verhoudingen in dat gezin. Freeks moeder kwam op mij altijd over als een koele vrouw die hem weliswaar keurig heeft opgevoed maar er, volgens Bea en mij, toch de nodige moeite mee had zich in zijn gevoelsleven te verdiepen. En in de tijd dat Freek bij ons over de vloer kwam, was zijn vader voor hem een soort achtergrondfiguur, die zo door zijn werk in beslag werd genomen dat die twee weinig contact hadden met elkaar. Bea en ik hadden allebei het gevoel dat Freek een betrekkelijk eenzaam kind was."

„Je snapt het niet hè," verzucht hij, „dat zo'n knaap zich dan toch zo gunstig weet te ontwikkelen terwijl het met Ton, die in dat opzicht niets tekort is gekomen, precies de andere kant is uitgegaan."

Het is echter Marijke die deze pijnlijke constatering weet te verzachten door Peter te bepalen bij zijn ervaringen van de afgelopen middag.

„Alleen al het feit dat je je zoon weer met Freek in contact hebt gebracht is voor mij het beste bewijs dat je nog steeds gelooft in de mogelijkheid hem vroeg of laat tot bezinning te zien komen." Getroffen kijkt Peter haar aan.

„Als vader heb je daar toch alles voor over! Maar van mij neemt Ton niets meer aan. Daarom heb ik nu al mijn hoop op Freek gevestigd."

„In ieder geval is hij een leeftijdsgenoot van je zoon," bepeinst Tineke, „daarom komt hij waarschijnlijk overtuigender op hem over dan Bea of jij. En als die jongen inderdaad een kille jeugd heeft gehad, zal hij beter dan wie ook weten hoeveel een warm-menselijke aanpak in zo'n geval kan doen."

Als de andere drie haar voorzichtige veronderstelling met een zwijgend knikje beamen, valt het Job ineens op dat Marijke aan het eind van haar Latijn is.

„Wij moeten er een punt achter gaan zetten mensen!" meent hij hen daarom te moeten waarschuwen. Pas nu realiseert hij zich dat Marijke de afgelopen uren misschien meer indrukken heeft moeten verwerken dan goed voor haar is.

Voor Peter is de wenk die Job geeft het sein om een wat schuldige blik in Marijkes richting te werpen. „Ik hoop niet dat ik met mijn onverwachte komst inbreuk heb gemaakt op jullie programma." Maar Marijke veegt zijn verontschuldiging onmiddellijk van tafel. „Dat was gewoon een samenloop van omstandigheden, Peter. In ieder geval heb ik daardoor ook jou beter leren kennen en zelfs de vriend van je zoon ontmoet. Dat heb ik, eerlijk gezegd, heel verrassend gevonden. Als ik morgen weer thuis ben zal ik vast nog wel eens terugdenken aan

de interessante gesprekjes die we gehad hebben."
Het is Peter aan te zien dat haar positieve reactie hem goed doet. Maar inmiddels is hij wel opgestaan van zijn stoel omdat ook hij door heeft dat Marijke er moeite mee begint te krijgen zich nog langer flink te houden.
„Fijn dat je hier vannacht kunt blijven slapen," probeert hij zich in haar situatie te verplaatsen, „volgens mij moet je doodmoe zijn geworden van ons voortdurende gepraat." Ook die veronderstelling wijst Marijke echter van de hand.
„Daar hoef jij je niet schuldig over te voelen, Peter. Ik heb daar net zo hard aan meegedaan als jullie allemaal. Vergeet niet dat ik, als ik weer thuis ben, niemand meer heb met wie ik een woord kan wisselen."
Op dat moment glijdt haar blik vol waardering naar Tineke en Job, die er nog steeds niet zeker van zijn of zij vandaag niet te veel van haar hebben gevraagd. Maar net als zij daarover willen beginnen is Marijke hen voor. „Wat jullie vandaag voor mij hebben gedaan was in één woord geweldig! Reken maar dat ik nog heel lang van dit verjaardagsfeest zal nagenieten."
Pas terwijl zij het zegt dringt het tot haar door hoe overmoedig vooral die laatste uitspraak hun in de oren moet klinken. Haastig voegt zij er daarom aan toe: „Als ik daarvoor de tijd krijg tenminste."
Even lijkt die toevoeging aan haar zojuist getrokken conclusie de andere drie zo pijnlijk te treffen dat er in de kamer een loodzware stilte valt. Maar dan is het Job die haar bijna hartstochtelijk verzekert dat het er niet om gaat hoeveel tijd van leven je als mens nog hebt, maar hoeveel leven je stopt in de tijd die je nog is gegund.
„Juist daarom is het zo goed geweest dat je op onze uitnodiging bent ingegaan Marijke, en dat je de moed hebt gehad om even alle sores van je af te zetten!" Marijke glimlacht wat afwezig. „Ik denk dat ik die moed te danken heb aan het feit dat ik mijn angst voor de toekomst dagelijks bij God breng,

Job. Voor mij is dat de enige manier om er zo goed mogelijk mee om te gaan."

Vooral op Peter lijkt haar antwoord diepe indruk te maken. Ontroerd pakt hij haar hand. „Volgens mij is dat voor elk mens de aangewezen weg om het leven aan te kunnen, Marijke. Maar ik vergeet het zo vaak." Begrijpend knikt zij hem toe. „Daar ben je mens voor, Peter. Maar als je jezelf er voortdurend aan probeert te herinneren dat je er in het leven nooit alleen voor staat, durf je ondanks alles, vooruit te kijken."

Het is Tineke die, als zij opnieuw merkt hoe uitgeput Marijke erbij zit, het gesprek bewust over een andere boeg gooit. „Misschien is het goed daarover nog eens bij gelegenheid met elkaar door te praten, maar nu wil ik dat Marijke direct naar de logeerkamer verdwijnt." Omdat het er quasi-dreigend is uitgekomen schieten ze alle vier in de lach. En daarmee is de spanning die het zojuist gevoerde gesprek onwillekeurig bij hen heeft opgeroepen, definitief gebroken.

Als Job en Tineke, nadat ook Peter is vertrokken, nog even in alle rust de keuken ordenen, zijn zij het er roerend over eens dat het niet alleen voor Marijke, maar ook voor henzelf een heerlijke dag is geweest.

Enkel al de gedachte daaraan roept zo'n ongekend geluksgevoel bij hen op dat zij ten slotte niets beters weten te doen dan elkaar te omhelzen en de hoop uit te spreken dat er in de toekomst inderdaad nog een wonder zal gebeuren waardoor niet alleen Marijkes bestaan, maar ook dat van Bea en Peter een nieuw perspectief zal krijgen.

11

In de daaropvolgende weken gebeurt er echter weinig schokkends. Dankzij de medicijnen blijft Marijkes toestand vrij stabiel, waardoor zij het thuis met de nodige hulp nog steeds redt.

Peter heeft Tineke en Job laten weten dat zijn zoon voorlopig niet vrij komt en het eerste bezoek van Freek redelijk goed heeft opgepakt.

Wat Tineke echter steeds meer begint te bezwaren is dat zij de afgelopen tijd weinig aandacht heeft besteed aan Bea. Daarom besluit zij haar op een druilerige namiddag, als zij net is thuisgekomen van haar werk, maar weer eens te bellen.

Haar telefoontje blijkt inderdaad een schot in de roos te zijn.

Bea blijkt minder kortaf te zijn dan de vorige keer dat zij elkaar spraken.

„Je hebt gelijk, ik heb je na je laatste bezoek alleen nog maar per telefoon gesproken," geeft zij toe als Tineke haar erop attent maakt dat zij elkaar al weken niet meer hebben ontmoet, „maar ik neem aan dat Peter je wel heeft verteld hoe het er momenteel met Ton voorstaat."

„Hij is onlangs nog een keer bij ons langs geweest," bevestigt Tineke haar vermoeden, „maar na die tijd heb ik hem niet meer gesproken."

„Tja... dan wordt het voor ons inderdaad tijd om weer eens bij te kletsen."

Omdat het er bij Bea wat spottend is uitgekomen, heeft Tineke vaag het idee dat zij toch een tikkeltje jaloers is op het contact dat Peter nog steeds met Job en haar heeft. „Oké, waar en wanneer treffen wij elkaar?" gaat zij daarom resoluut op Bea's toezegging in.

Na verschillende mogelijkheden te hebben overwogen spreken zij af elkaar de avond daarop in het dichtstbijzijnde winkelcentrum te treffen.

„Dat lijkt mij gezelliger dan bij mij thuis, vooral omdat het koopavond is," motiveert Bea haar voorstel. „Misschien kunnen we dan ergens een kop koffie gaan drinken. In mijn eentje kom ik daar niet toe."

„En toch zou het goed zijn om jezelf zo nu en dan die luxe te gunnen," probeert Tineke haar te overtuigen. „Op je werk zit je hele dagen in je eentje achter de computer, thuis heb je geen aanspraak meer, dus wat afleiding kun je best gebruiken. Je moet er wel voor zorgen dat je niet in een isolement terechtkomt."

„Ach ja…" Bea slaakt een ongeduldige zucht. „Een ideale toestand is het natuurlijk niet waarin ik verkeer, maar dat is nu eenmaal mijn leven."

Met een geforceerd lachje probeert zij de troosteloosheid van haar bestaan te verbloemen. Tineke voelt sterk de neiging in zich opkomen om haar afkeuring over deze nonchalante houding te laten blijken. Maar zij slaagt erin zich te beheersen. „Ik ben in ieder geval blij dat die afspraak voor morgen vastligt," reageert zij neutraal, „want sinds de laatste keer dat wij elkaar zagen is er naar mijn gevoel toch wel het een en ander met je gebeurd."

„Heb je het idee dat Bea door die toestand met Ton wat genuanceerder is gaan denken over de rol die zij tot nog toe in zijn leven heeft gespeeld?" informeert Job als Tineke hem de volgende dag vertelt over het uitje dat zij die avond met Bea hoopt te hebben. „Ik weet het niet," verzucht ze. „Toen ik haar gisteren aan de telefoon had kreeg ik eerder het idee dat zij daarover voorlopig haar hoofd niet wil breken."

„Misschien is ze blij dat ze zich even niet voor hem aansprakelijk hoeft te voelen," veronderstelt Job. „Nu die knaap vastzit kan hij in ieder geval geen onverantwoorde streken meer uithalen."

Als Tineke die avond op de afgesproken tijd in het winkelcentrum arriveert, blijkt Bea al aanwezig te zijn. Het valt haar op dat Bea's gezicht smaller is geworden en haar blik een iet-wat schuwe uitdrukking heeft gekregen. En dat doet haar ver-moeden dat het geen gemakkelijke avond zal worden. Het gebeurde met Ton heeft Bea blijkbaar zo diep getroffen dat er van haar aanvankelijke zelfverzekerdheid weinig meer over is, hoewel zij krampachtig haar best doet dat niet te laten mer-ken.

Het eerste half uur lukt het daarom prima ontspannen met elkaar op te trekken. Maar nadat zij een aantal winkels heb-ben bekeken en wat inkopen hebben gedaan, merkt Tineke dat Bea genoeg heeft van het gedrentel door de veelal overvolle zaken.

Daarom zet zij resoluut koers naar het dichtstbijzijnde café om nog even met elkaar van gedachten te kunnen wisselen.

Zodra zij zich aan een van de tafeltjes hebben geïnstalleerd en de door hen bestelde koffie is geserveerd, probeert Tineke tot een gesprek te komen.

„Hoe is het nu met je?"

„Och... wat zal ik zeggen." Het is duidelijk dat Bea niet bepaald zit te springen om Tineke verslag uit te brengen van de situatie waarin zij is beland. „Aan de ene kant ervaar ik het als een rust dat ik mij niet meer dag en nacht hoef af te vra-gen waar Ton uithangt, maar de gedachte dat hij in de gevan-genis zit vind ik walgelijk."

„Daar schaam jij je voor," probeert Tineke Bea's gevoelens te peilen, „en dat kan ik mij levendig indenken. Ondanks de steun die je hem door dik en dun hebt gegeven heeft hij zich niets gelegen laten liggen aan jouw verwachtingen ten opzich-te van hem. Daardoor heeft hij jou het gevoel gegeven dat je als moeder jammerlijk bent mislukt."

„Natuurlijk!" Aan de felheid waarmee Bea op haar voorzich-tige veronderstelling reageert, merkt Tineke onmiddellijk dat zij de spijker op z'n kop sloeg.

Daardoor heeft zij bij Bea gevoelens losgemaakt die zich niet langer laten verdringen. „Ik kan maar niet begrijpen hoe het zover met hem heeft kunnen komen," verzucht zij terwijl zij tevergeefs moeite doet haar tranen te bedwingen, „ik heb er alles aan gedaan om die jongen voor een dergelijke afgang te bewaren, maar hij heeft gewoon een loopje genomen met mijn goede bedoelingen."

„En daarom ben je nu woedend op hem," concludeert Tineke, „of heb ik dat mis?"

Bea schudt vertwijfeld haar hoofd. „Kon ik dat maar zijn! Mijn verstand zegt dat hij deze gang van zaken aan zichzelf te danken heeft, maar mijn hart huilt als ik bedenk dat ik als moeder geen enkele invloed meer kan uitoefenen op de ellende waarin hij terecht is gekomen."

Tineke aarzelt. Zij wil Bea niet tegen zich in het harnas jagen, maar toch zal ze eens moeten beseffen dat zij het in de afgelopen jaren nooit over haar hart heeft kunnen verkrijgen om haar zoon zijn eigen zaakjes te laten opknappen.

„Ik meen te hebben begrepen dat Peter je al wel een paar keer heeft opgezocht om zijn zorg over Ton met je te delen," probeert zij daarom het gesprek een andere wending te geven.

„Peter?" Vertwijfeld kijkt Bea haar aan. „Die blijft erbij dat Ton eraan toe was om met zijn neus op de feiten te worden gedrukt."

„Dus jij denkt dat het hem helemaal niet raakt dat Ton is opgepakt?"

Met een driftige klap zet Bea het koffiekopje dat zij inmiddels heeft leeggedronken, op tafel. „Ja, dat denk ik! En als jij het anders ziet moet je mij maar eens vertellen waarop je die mening baseert."

Een ogenblik kijkt Tineke haar vorsend aan. „Waarom denk je dat hij Freek heeft gevraagd om hem zo nu en dan eens te gaan opzoeken?"

Bea schudt haar hoofd. „Weet ik veel! Misschien vanuit een soort schuldgevoel. Ik wist trouwens niet wat mij overkwam toen die jongen onlangs ook bij mij voor de deur stond."

Ineens stokt haar stem en kijkt zij Tineke onderzoekend aan.

„Hoe weet jij dat Peter contact heeft gezocht met Freek? Je kent hem niet eens!" Maar als Tineke haar vertelt dat Job en zij onlangs via Peters bemiddeling kennis met hem hebben gemaakt, haalt Bea geërgerd haar schouders op.

„Ik krijg steeds meer de indruk dat het tussen Peter en jullie dik aan is. Nou ja, jullie doen maar. Het laat mij koud wat hij achter mijn rug om allemaal bedenkt om jullie ervan te overtuigen dat hij het beste met Ton voorheeft. Enkel al het feit dat hij nu Freek, met wie wij nota bene jaren geen contact meer hadden, voor zijn karretje heeft weten te spannen, bewijst toch dat hij nu ook andere wegen zoekt om Tom te bereiken."

Hoewel de schampere toon waarop zij het heeft gezegd Tineke wel degelijk raakt, probeert zij dat niet te laten merken.

„Misschien is het voor jou goed om te weten dat ik degene ben geweest die, vanaf het moment dat ik Freek leerde kennen, het gevoel had dat Ton misschien wel open zou staan voor zijn beïnvloeding. Niet alleen omdat zij leeftijdsgenoten zijn, maar ook vanwege de band die zij ooit met elkaar hebben gehad. Daarom heb ik Peter voorgesteld open kaart met Freek te spelen en hem te vragen om Ton eens te gaan opzoeken."

Ondanks deze uitleg lijkt Bea nog niet van plan haar afweer te laten varen. „Leuk voor je, dat Peter zo braaf naar je heeft geluisterd. Als ik met dat voorstel was gekomen zou hij beslist anders hebben gereageerd. Maar ik zou een dergelijk plan ook niet hebben durven opperen. Volgens mij heeft Freek wel wat anders aan zijn hoofd."

Niet begrijpend fronst Tineke haar wenkbrauwen. „Hoe bedoel je? Hij heeft Ton toch al bezocht?"

„Tot nu toe is het wel bij die ene keer gebleven," stelt Bea geprikkeld vast, „en volgens mij zit een herhaling van dat bezoek er voorlopig niet in."

„Niet?" Verbaasd staart Tineke haar aan. „Ik dacht juist dat hij er graag wat extra moeite voor over had om er in deze kritieke periode voor Ton te zijn." Maar daarover lijkt Bea een andere mening te hebben. „Hij heeft zowel Peter als mij vorige week opgebeld om te zeggen dat hij Ton tot zijn spijt voorlopig niet kon bezoeken. De reden daarvoor heeft hij niet genoemd, maar ik kreeg de indruk dat hij nogal uit zijn doen was."

„Dat meen je niet!"" Ongelovig schudt Tineke haar hoofd. „Freek lijkt mij het type niet om zich zomaar van de wijs te laten brengen." Dan vervalt zij in een nadenkend zwijgen. Hoe langer zij echter haar hoofd breekt over de twijfelachtige mededeling die Bea haar zojuist heeft gedaan, hoe minder zij ervan begrijpt. In ieder geval is het haar wel duidelijk geworden dat Bea geen verdere bijzonderheden over Freeks onverwachte afzegging te weten is gekomen. Misschien dat zij Peter daarover maar eens aan de tand moet voelen. Niet dat Freeks doen en laten haar direct aangaat, maar als het waar is wat Bea heeft beweerd, zal er van haar idee om Ton via Freeks beïnvloeding tot een andere kijk op het leven te brengen, maar weinig terechtkomen. En dat hoeft zij toch niet zomaar te laten gebeuren?

Als Tineke en Bea bepakt en bezakt naar huis wandelen, zijn zij het er beiden over eens dat hun uitje van de afgelopen avond absoluut voor herhaling vatbaar is.

„Wat jammer toch dat Peter en jij door Tons gedrag zo van elkaar vervreemd zijn geraakt," stelt Tineke voor de zoveelste keer met een bezwaard hart vast als zij bij de deur van Bea's huis afscheid van elkaar nemen. „Maar onthoud alsjeblieft dat jullie voor Job en mij allebei even belangrijk zijn, al is het voor ons soms wel moeilijk om vast te stellen hoe wij onze aandacht het beste tussen jullie kunnen verdelen." Bea knikt begrijpend.

„Ik bel je nog wel," belooft zij terwijl zij haar huissleutel tevoorschijn haalt. „Ik snap nu dat je belangstelling voor Freek ook te maken heeft met de zorg die je wel degelijk om Ton hebt en dat waardeer ik enorm!"

Als Tineke echter de dag daarop Peter opbelt om nog wat informatie over Freeks onverwachte afzegging los te krijgen, blijkt ook hij er het fijne niet van te weten. „De verklaring die hij mij daarvoor gaf was nogal vaag. Ik begreep er eerlijk gezegd weinig van. Het is niets voor hem om zo plotseling van opstelling te veranderen."

Net als Tineke op het punt staat om Peter te bekennen dat ook zij stomverbaasd is over Freeks teleurstellende reactie, lijkt hij zich te bedenken. „Zeg Tineke, zouden Job en jij er misschien achter kunnen komen waarom Freek zijn bemoeienissen met Ton heeft opgeschort?"

„Wij?" vraagt Tineke met onverholen verbazing.

„Hoe kun je dat nu vragen, Peter! Wij hebben Freek maar een enkele keer ontmoet. Als hij jou niet in vertrouwen neemt, komen wij daarvoor zeker niet in aanmerking."

„Dat weet je niet." Het lijkt erop dat Peter al pratend steeds zekerder wordt van zijn zaak. „Ik heb namelijk wel het gevoel gekregen dat het tussen jullie al vanaf die eerste kennismaking klikt."

„Nou ja…" Tineke aarzelt. „Zo hebben Job en ik dat ook wel ervaren, maar dat zegt in dit geval niets! Ik denk dat die jongen er gewoon geen behoefte aan heeft gehad om Bea en jou uitvoerig over het waarom van zijn beslissing te informeren. Dat is toch zijn goed recht?"

Haar veronderstelling lijkt Peter echter niet te kunnen bevredigen. „Ik heb aldoor de gedachte dat er thuis of op zijn werk iets gebeurd moet zijn waardoor hij van slag is geraakt."

„Laten wij het daar dan maar op houden," stelt Tineke met een zekere beslistheid vast. „Jij hebt aan je zorgen over Ton en de breuk die dat tussen Bea en jou heeft veroorzaakt meer dan genoeg."

„Ach ja…" Dat is alles wat Peter nog weet te zeggen maar de aarzeling in zijn stem geeft haar wel het gevoel dat hij zich slechts met tegenzin bij haar veronderstelling neerlegt. En misschien komt het wel daardoor dat zij, als ze eenmaal de telefoon heeft neergelegd, maar niet kan loskomen van de vraag waarmee hij haar daarnet heeft overvallen. „Zeg Tineke…" blijft zijn stem in haar hoofd nazeuren, „zouden Job en jij…" Verder dan die enkele woorden komt het niet. „Job en jij…" lijkt diezelfde stem voortdurend te herhalen, „Job en jij…!"

„Onzin!" Ietwat geërgerd over haar sentimentele gepieker over Peters voorstel concludeert Tineke nog eens hardop dat zijn vraag kant noch wal raakt. Maar ondanks haar verweer blijft die kwestie met Freek haar wel bezighouden. Zelf heeft ze zijn afzegging weliswaar ook als een tegenvaller ervaren, maar bij Peter moet die boodschap harder zijn aangekomen. Dat Ton niet direct afwijzend op het hernieuwde contact met Freek reageerde was een geweldige opluchting voor hem, maar de teleurstelling over de onderbreking van dit contact is des te groter.

Als Job die avond thuiskomt van zijn werk overvalt Tineke hem vrijwel gelijk met haar twijfelachtige gedachten over de rol die Peter hen in deze kwestie heeft toegedacht. „Wat denk jij, Job?" probeert zij hem daarover een mening te ontfutselen. „Wij kennen Freek amper. Dan kunnen wij ons toch niet gaan bemoeien met zijn persoonlijke besognes? Hij ziet ons aankomen!" Ook Job lijkt niet direct raad te weten met de kwestie die haar, zo te zien, toch wel hoog zit. Maar nadat hij een ogenblik heeft nagedacht, klaart zijn gezicht op. „Je zou hem wel kunnen bellen om te vragen hoe het met Betty is. Zo'n zwangerschapsperiode levert toch de nodige spanningen op. Misschien dat hij je dan uit zichzelf wel vertelt waarom hij voorlopig wil afzien van het herstelde contact met Ton." Tineke begrijpt dat dit inderdaad de meest aanvaardbare manier is om alsnog op Peters voorstel in te gaan. „Daarmee forceer ik inderdaad niets," laat zij Job opgelucht weten, „want in wezen ben ik ook benieuwd naar het verloop van die zwangerschap. Ik hoop echt voor die twee dat alles goed blijft gaan."

Nu Tineke eenmaal weet wat haar te doen staat laat zij er geen gras over groeien. Als Job na het eten nog even voor een zakelijke afspraak de deur uit moet, pakt zij maar gelijk haar adresboekje, waarin zij onlangs Freeks telefoonnummer heeft genoteerd. Het is natuurlijk niet gezegd dat zij hem op dit uur van de dag aan de lijn krijgt, maar het is te proberen. Even valt het haar tegen als zij merkt dat niet Freek zelf, maar Betty de telefoon opneemt. Gelukkig weet zij direct haar zelfverzekerdheid te hervinden. „Met Tineke Berends, Betty," opent zij het gesprek. „Je herinnert je toch nog wel dat mijn man en ik onlangs, samen met Peter Alers, bij jullie op bezoek zijn geweest? Jij hebt ons toen een korte rondleiding gegeven. Na die tijd is Freek nog een keer bij ons langs gekomen en dat heeft ons zo'n goed gevoel gegeven dat ik gewoon eens wil weten hoe het momenteel met jullie gaat." De hartelijk toon waarop Tineke de bedoeling van haar telefoontje duidelijk maakt, geeft Betty kennelijk het gevoel dat het hier inderdaad om een vriendschappelijk gesprekje gaat. „Natuurlijk herinner ik mij dat," laat zij Tineke daarom zonder enige terughoudendheid weten. Even aarzelt Tineke om Betty daarna met dezelfde vrijmoedigheid te benaderen die Freek eigen is. „Freek heeft mijn man vertelt dat je zwanger bent. Gaat het nog steeds goed met je?"

„Gelukkig wel," verzekert Betty haar, duidelijk verbaasd over Tinekes belangstelling voor haar persoonlijke omstandigheden.

Dat is echter alles wat zij aan haar kwijt wil, want direct daarna doet zij er met een zucht het zwijgen toe. „Is Freek er nog steeds even blij mee?" probeert Tineke daarom het gesprek opnieuw op hem te betrekken.

„O ja..." De aarzelende manier waarop haar vraag wordt beantwoord lijkt Tineke ineens de moed te geven om open kaart met Betty te spelen. „Peter vertelde mij dat Freek voorlopig even wilde afzien van het contact dat hij kort geleden weer met diens zoon had gelegd. Heb jij enig idee waarom hij die beslissing heeft genomen?"

Enkele seconden lang valt er aan de andere kant van de lijn een diepe stilte. Dan geeft Betty ronduit toe dat hij momenteel met een kwestie zit die hij maar moeilijk naast zich kan neerleggen. „Daarom kon hij die sores met Ton er even niet bij hebben," bekent zij. „Hij is echt niet van plan hem blijvend aan zijn lot over te laten, maar eerst moet hij wat feiten die vrij onverwachts in zijn eigen leven alles overhoop hebben gegooid, op een rijtje zien te krijgen."

„Is er niemand met wie hij daarover kan praten?" informeert Tineke, toch wel wat geschrokken van Betty's uitleg, omdat zij onmiddellijk begrijpt dat het bij Freek niet om een wissewasje kan gaan.

„Nee!" Betty's stem klinkt zo beslist dat Tineke opnieuw begint te twijfelen aan het nut van haar telefoontje. Maar op dat moment lijkt Betty het toch nodig te vinden haar antwoord wat nader toe te lichten. „De zaak waarom het gaat ligt voor Freek zo gevoelig dat hij er niemand mee wil belasten. Maar intussen leeft hij wel onder een enorme druk. Alleen tijdens zijn werk lukt het hem soms even zijn zorgen te vergeten."

„Weet je, Betty...." Ineens ziet Tineke wat haar te doen staat. „Als Freek zich alsnog mocht bedenken en toch wil praten dan kan hij altijd een beroep op mijn man en mij doen. Wij hebben zelf weliswaar geen kinderen, maar toen hij onlangs bij ons was voelde dat gelijk zo vertrouwd aan, dat wij het er na zijn vertrek allebei over eens waren dat hij een zoon van ons had kunnen zijn."

Omdat zij die vrij openhartige bekentenis er in een opwelling heeft uitgegooid, begrijpt zij maar al te goed dat Betty zich daardoor toch wel overrompeld moet voelen. „Dat heeft Freek zelf zich natuurlijk niet gerealiseerd," voegt zij er daarom begrijpend aan toe, „maar zo kwam hij nou eenmaal op ons over. Daarom spijt het mij enorm dat hij momenteel zo met zichzelf in de knoop zit. Ik hoop alleen dat hij niet te geforceerd bezig is om zijn aanvankelijke zelfverzekerdheid te hervinden."

„Dat zou hem enkel maar extra energie kosten," stelt Betty met een verdrietige zucht vast. „Daarom heb ik er ook zelf al een paar keer bij hem op aangedrongen toch eens iemand in vertrouwen te nemen."

„Laat hem in ieder geval weten dat wij aan hem denken Betty," drukt Tineke haar met toenemende bezorgdheid op het hart.

„Dat zal ik zeker doen," belooft zij. „Misschien zal jullie betrokkenheid bij zijn huidige situatie hem toch goed doen. Volgens mij gaat het bij hem vooral om het accepteren van feiten die niet meer te herroepen zijn. Maar dat is gemakkelijker gezegd dan gedaan."

Als Tineke even later met een bezwaard hart de telefoon neerlegt, heeft zij wel het gevoel dat zij er, achteraf bekeken, goed aan heeft gedaan om Jobs raad op te volgen. Het zojuist gevoerde gesprek heeft haar in ieder geval duidelijk gemaakt dat Freeks besluit om zijn contact met Ton voorlopig even op te schorten, alleszins gerechtvaardigd is. Maar of hij het zal kunnen opbrengen om inderdaad in te gaan op haar voorstel om over de kwestie waarmee hij zit met Job en haar te komen praten? Dat is en blijft een vraag die waarschijn niet zo één twee drie zal worden beantwoord, hoewel zij er nu wel zeker van is dat ook Betty een dergelijke stap van Freek zou toejuichen.

Het is nauwelijks een week later als de telefoon nog vrij laat op de avond overgaat en Job tot zijn verrassing bemerkt dat hij Freek aan de lijn heeft. Blijkbaar heeft hij toch de moed gevonden om Tineke en Job in vertrouwen te nemen. „Vanaf het eerste moment dat ik jullie ontmoette merkte ik dat wij elkaar haarfijn aanvoelden," laat hij Job duidelijk nerveus weten. „Vooral op aandringen van Betty zou ik daarom de zaak waarmee ik zit, toch eens met jullie willen bespreken.

Weliswaar valt er niets op te lossen, maar gevoelsmatig kom ik er niet mee klaar en dat begint mij steeds meer te hinderen." Omdat Job terdege beseft hoeveel overwinning het Freek moet hebben gekost om hen bij deze privé-aangelegenheid te betrekken, pakt hij onmiddellijk zijn agenda. „Ik ben blij met je telefoontje Freek," bekent hij openhartig, „Tineke en ik wisten dat je ergens mee zat, anders zou je die bezoeken aan Ton niet op de lange baan hebben geschoven."

Freek slaakt een hoorbare zucht. „Tja... Voor Bea en Peter is dat natuurlijk een tegenvaller, maar vergeet niet dat het werk hier mij voor honderd procent opeist. Daarom kan ik die sores met Ton er op het ogenblik echt niet bij hebben, al ben ik niet van plan mijn handen definitief van hem af te trekken."

Als Job, na wat heen en weer gepraat, een afspraak met Freek heeft gemaakt, benadrukt hij nog wel dat hij alleen Tineke op de hoogte zal brengen van hun gesprek.

„Het lijkt mij niet verstandig om ook Peter en Bea in jouw zorgen te mengen, al weet ik best dat zij je beter kennen dan wij." Freek blijkt het met dat uitgangspunt helemaal eens te zijn. „Het gaat mij er alleen om mijn gevoelens eindelijk eens tegenover vertrouwde vrienden te kunnen uiten," legt hij uit. „Tot nog toe heb ik die alleen met Betty gedeeld, maar misschien is het inderdaad goed om ook van jullie een reactie te krijgen op de kwestie die mij bezighoudt."

„Wat kunnen de dingen soms vreemd gaan," overdenkt Tineke als zij, nadat Freek het gesprek heeft beëindigd, nog een ogenblik met Job over dat telefoontje napraat. „Ik heb maar steeds het gevoel dat, sinds jij weer contact met Marijke hebt gezocht, er allerlei dingen zijn gebeurd die ons bestaan een heel ander perspectief hebben gegeven." Een ogenblik staart Job zwijgend voor zich uit. „Vanaf dat moment hebben wij inderdaad te maken gekregen met een aantal onvoorziene situaties," geeft hij dan peinzend toe. „Die naar mijn idee toch met elkaar samenhangen," stelt Tineke met toenemende verwondering vast.

„Het was Peter die, na zijn eerste ontmoeting met Marijke, direct met mij over Freek begon terwijl ik kort daarna bij Bea thuis ineens dat fotootje van hem tegenkwam. Daardoor kwamen er ook bij haar allerlei herinneringen aan hem naar boven. Toen zij mij zelfs wist te vertellen welk werk hij deed, kon ik mij niet meer losmaken van de gedachte dat wij toch eens de moeite zouden moeten nemen kennis met hem te maken. En nu is Freek al zo eigen met ons geworden dat hij ons zelfs zijn privé-problemen durft toe te vertrouwen." Een ogenblik zoeken haar ogen bezorgd de zijne. „Wij mogen hem daarin niet teleurstellen, Job!"

Maar hij knikt haar geruststellend toe. „Zolang wij proberen de stem van ons hart te volgen, moet dat lukken!"

„Goed dat wij elkaar daarin steeds weer weten te vinden," voegt Tineke er dankbaar aan toe.

Het is met die bemoedigende gedachte dat zij even later een punt zetten achter de dag die niet alleen voor nieuwe verrassingen heeft gezorgd, maar tegelijkertijd een niet meer weg te denken spanning bij hen heeft opgeroepen.

12

Je meent het niet!" Als versteend staart Tineke Freek aan terwijl ook Job er nauwelijks in slaagt om zijn groeiende ontsteltenis voor hem te verbergen.

Maar als Freek opnieuw bevestigt dat de mededeling die hij hun zojuist heeft gedaan op waarheid berust, schudt zij niet begrijpend haar hoofd.

„Hoe komt je moeder erbij om je nu pas met dat feit te confronteren!"

Gelaten maakt Freek haar echter duidelijk dat die vraag waarschijnlijk altijd onbeantwoord zal blijven.

„Ik heb het haar verschillende keren gevraagd, maar zij lijkt niet van plan te zijn daarop een eerlijk antwoord te geven."

„Dus die zaak is aan het rollen gekomen toen jij haar vertelde dat Betty zwanger was?" Freek knikt bevestigend. „Zij reageerde zo afstandelijk op die mededeling dat ik het gewoon niet kon laten mijn teleurstelling daarover te laten blijken. Nou ja, wat er toen gebeurde houden jullie niet voor mogelijk. Ineens leek er bij haar een soort bom te barsten en gaf zij mij woedend te verstaan dat ik niet het minste recht had mij zo arrogant tegenover haar te gedragen. 'Je mag blij zijn dat ik je tot op de dag van vandaag de hand boven het hoofd heb gehouden,' snauwde zij mij toe. Aan die redenatie kon ik natuurlijk helemaal geen touw meer vastknopen."

Job, die merkt dat Freek er moeite mee heeft om het gebeurde in zijn herinnering terug te roepen, probeert voorzichtig op diens verhaal in te gaan.

„Je had dus niet door waar die opmerking op sloeg?"

„Welnee!" Ontkennend schudt Freek zijn hoofd. „Het kwam niet eens in mij op om te denken dat haar geïrriteerde uitval wel degelijk een reden had. Maar toen zij er daarna alles wat zij jarenlang voor mij verborgen had gehouden, in één adem eruit gooide, was het alsof ik de bodem onder mijn bestaan voelde wegzakken."

„Wat een ellendige ervaring om er zo plotseling achter te komen dat de vrouw die je als je moeder beschouwde, dat nooit blijkt te zijn geweest," huivert Tineke.

Maar Freek is nog steeds zo onder de indruk van de feiten waarmee hij pas onlangs geconfronteerd is, dat haar constatering nauwelijks tot hem doordringt.

„Het wonderlijke was," vervolgt hij zichtbaar geëmotioneerd, „dat door die onthulling alle dingen die ik nooit van mijn vader en haar had begrepen op hun plaats leken te vallen. Ineens wist ik dat ik voor hen altijd het kind was gebleven van wie zij nooit echt hadden gehouden."

Als Freek er na die verbijsterende bekentenis even het zwijgen toe doet omdat de realiteit ervan hem opnieuw heeft overweldigd, knikt Tineke hem verslagen toe.

„Dat moet een enorme schok voor je zijn geweest."

Freek geeft niet direct antwoord, maar na enkele ogenblikken afwezig voor zich te hebben uitgestaard, verklaart hij: „En toch heeft dat onverwachte incident mij ook een soort opluchting bezorgd. Ik weet nu tenminste hoe het is gekomen dat er tussen mijn ouders en mij altijd zo'n onverklaarbare afstand is blijven bestaan."

„Peter had dus wel gelijk toen hij veronderstelde dat het tussen jou en je moeder lang niet altijd lekker zat, terwijl je vader geen enkele moeite deed daarin te bemiddelen," probeert Job voorzichtig Freek uit zijn tent te lokken over zijn verleden.

„Op materieel gebied heb ik alles gekregen wat ik nodig had," stelt deze met een zucht vast, „maar echte warmte hebben zij mij nooit kunnen geven."

„Dan snap ik niet waarom die mensen je destijds hebben geadopteerd," merkt Tineke verontwaardigd op. „Als je hart er niet bij betrokken is, begin je toch niet aan zo'n avontuur?"

„Als kind heb ik over de houding van mijn ouders nooit zo diep nagedacht," probeert Freek voor de zoveelste keer zijn gevoelens te peilen, „maar nu heb ik over die adoptie toch wel een heel vervelend gevoel gekregen, vooral omdat mijn moeder blijft weigeren daarover ook maar iets te vertellen. Het is toch normaal dat ik graag wil weten hoe het een en ander destijds in elkaar heeft gezeten."

„Dat lijkt mij ook," probeert Job begrip te tonen voor Freeks situatie. „En volgens mij zit die hele kwestie je zo dwars dat je bijna aan niets anders meer kunt denken. Daarom heb je waarschijnlijk ook die bezoeken aan Ton opgeschort."

„Zo'n onthulling doet toch iets met je," haakt ook Tineke vol begrip op Freeks verhaal in, „ik heb inderdaad het gevoel dat je pas weer verder kunt met je leven als je daarin wat meer duidelijkheid hebt gekregen."

„Eerlijk gezegd heb ik nog steeds de moed niet kunnen opbrengen mij te verdiepen in de feiten die zich rondom mijn geboorte hebben afgespeeld," bekent Freek, „al moet ik toegeven dat Betty er al verschillende keren bij mij op heeft aangedrongen daar werk van te maken. Ik was vooral in de war over het feit dat mijn ouders mij al die tijd in de waan hebben gelaten dat ik hun bloedeigen kind was. Ik kan maar niet begrijpen waarom zij dat per se voor mij geheim hebben willen houden, laat staan dat ik snap wat mijn moeder bezielt om daarover zelfs nu nog moeilijk te blijven doen."

Als ook Job en Tineke toegeven hiervoor geen verklaring te hebben, lijkt Freek zich niet van de gedachte te kunnen losmaken dat zijn adoptiemoeder wel degelijk een reden moet hebben voor haar raadselachtige gedrag.

„Soms heb ik het gevoel dat zij enkel vanuit een soort jaloezie zo bot op het nieuws over Betty's zwangerschap reageerde," vertrouwt hij Tineke en Job toe. „Misschien had zij er op gehoopt ooit zelf een kind te krijgen. Maar dat is nu eenmaal niet gebeurd, al begrijp ik best dat het een hard gelag is als een dergelijk geluk je deur voorbij gaat."

„Vertel mij wat!" Het is eruit voor Tineke er erg in heeft. Maar als zij de verschrikte blik ziet waarmee Freek haar aankijkt, slaat zij met een beschaamd gebaar de hand voor haar mond. „Sorry Freek, het was niet mijn bedoeling je in verlegenheid te brengen, maar Job en ik weten echt alles af van het verdriet dat je daarover kunt hebben."

Even weet Freek kennelijk niet wat hij met Tinekes bekentenis aan moet. Maar dan zoeken zijn ogen bewust de hare. „Nu ik dit weet heb ik nog meer waardering voor de positieve manier waarop Job en jij in het leven staan, Tineke! Ergens beschouw ik het nog steeds als een wonder dat ik jullie heb leren kennen. Gewoon al het feit dat ik in alle openheid met jullie over mijn persoonlijke sores kan praten, betekent zoveel voor me!"

Zowel Job als Tineke lijken na die ontboezeming van Freeks kant een ogenblik van hun à propos te zijn gebracht, maar dan is het Job die de draad van het gesprek weer oppakt.

„Het wil er bij mij niet in Freek dat er met betrekking tot dit probleem voor jou niets meer valt op te lossen. Als je moeder niet wil praten moeten er in ieder geval officiële stukken te vinden zijn waarin gegevens over je afkomst vermeld staan. En daarmee kun je toch op zoek gaan naar eventuele aanknopingspunten. Dat zal misschien tijd en moeite kosten, maar als het nodig is kunnen Tineke en ik je daar toch bij helpen. Als je dat wilt, tenminste!"

„Jullie hebben gelijk!" Met de vlakke hand slaat Freek zich tegen zijn voorhoofd. „Ik had al direct na dat pijnlijke gesprek met mijn moeder in actie moeten komen! Maar ik was zo van slag door haar bekentenis dat ik daarvoor gewoon de fut niet heb kunnen opbrengen. Het is alleen te hopen dat bepaalde feiten nog te achterhalen zijn. Wie zegt bijvoorbeeld dat mijn biologische moeder nog leeft? Ik heb er geen flauw idee van hoe oud zij was toen ik werd geboren."

„Maar de datum en het jaar waarin dat gebeurde is je wel bekend," helpt Job hem zijn gedachten te ordenen. „En in je trouwboekje staat de naam van je geboorteplaats, dus met die gegevens kun je in ieder geval aan de slag gaan."

Een ogenblik verdwijnt de hoopvolle blik uit Freeks ogen. „Hoe vaak ik mijn ouders heb gevraagd waarom ik in Duitsland ben geboren weet ik niet meer," verzucht hij moedeloos, „maar een antwoord op die vraag heb ik nooit gekregen."

„Toch zul je dat antwoord moeten zien te vinden," houdt Tineke aan het door Job geopperde plan vast. „Pas dan kun je op zoek gaan naar verdere bijzonderheden over je afkomst, want dat wil je toch?"

„Natuurlijk!" De gretigheid waarmee Freek op haar suggestie ingaat laat niets aan duidelijkheid te wensen over. „Ik denk dat ik dan die zaak wel naast mij neer zal kunnen leggen, maar nu zit ik nog met zoveel vragen dat ik er gewoon geen rust bij heb."

Met een vaderlijk gebaar legt Job zijn hand op Freeks schouder. „Ga er maar van uit dat Tineke en ik achter je staan, Freek! Sinds wij je hebben leren kennen is het ons steeds duidelijker geworden dat je niet toevallig ons leven bent binnengekomen. En daarom willen wij, zeker nu je ons in vertrouwen hebt genomen, er op onze eigen manier voor je zijn."

De dankbare blik die Freek hem toewerpt bezorgt Tineke een gevoel van ontroering. Maar het volgende ogenblik weet zij zich weer bij de feiten te bepalen waarmee Freek hen heeft geconfronteerd. „Wat weet je van je geboorteplaats of zegt de naam daarvan je helemaal niets?" informeert zij aarzelend, omdat zij terdege beseft dat het er voor Job en haar vooral op aankomt zich in deze kwestie bescheiden op te stellen.

„Ik heb de kaart er al verschillende keren op nageslagen," bekent Freek, „maar daar ben ik niet wijzer van geworden. Ergens heb ik het idee dat het om een dorp of een gehucht moet gaan dat de moeite van het vermelden niet waard is. Maar misschien dat ik er via internet nog achter kan komen van waaruit ik het beste met mijn zoektocht kan beginnen. Ik heb voor die kant van mijn verhaal nog nauwelijks aandacht gehad."

Als hij hun de bewuste plaatsnaam noemt blijken ook Tineke en Job die niet te kennen. „Nooit van gehoord!" laat Job hem hoofdschuddend weten. Het is echter Tineke die ineens op het idee komt Marijke daarover eens te polsen. „Misschien dat zij je iets wijzer kan maken."

„Marijke?" Het is duidelijk dat hij er geen idee meer van heeft wie zij bedoelt, maar als Tineke hem herinnert aan het korte bezoekje dat hij Job en haar onlangs heeft gebracht en het geanimeerde gesprek dat hij toen heeft gevoerd met een vriendin van hen, weet hij zich onmiddellijk weer voor de geest te halen over wie zij het heeft. „Je hebt gelijk!" valt hij haar verrast bij. „Die vrouw vertelde mij toen inderdaad dat zij een aantal jaren in Duitsland had gewoond. Maar omdat mij dat toen niet speciaal interesseerde en ik ook het gevoel kreeg dat zij daarover zelf niet al te veel wilde uitweiden, heb ik geen verdere vragen gesteld."

„Het zou wel heel toevallig zijn als zij je uit de droom kon helpen," merkt Job wat twijfelachtig op, „maar het kan natuurlijk nooit kwaad een visje bij haar uit te gooien."

„Maar dan wel zonder uit te leggen waarom het gaat," dringt Freek er met klem bij hem op aan. „Ik heb er geen behoefte aan om, naast jullie, anderen met mijn privé-omstandigheden lastig te vallen." Die verzekering willen Job en Tineke hem echter graag geven.

Als Freek wat later op de avond zichtbaar opgelucht afscheid van hen neemt, hebben zij alledrie het gevoel dat het geen verloren tijd is geweest die zij met elkaar hebben doorgebracht.

„Je snapt zulke ouders niet," verzucht Tineke, die na Freeks vertrek nog even met Job doorpraat over de kwestie die hen het afgelopen uur bezig heeft gehouden.

„Je kunt een kind op een bepaald moment toch best laten weten dat het is geadopteerd? Freek is nota bene een volwassen vent. Hij had er heus wel oog voor gehad dat hij anders misschien nooit de kans had gekregen om in een normaal gezin op te groeien."

„Maar het is ook triest dat zijn adoptieouders hem niet de liefde hebben gegeven waarop hij rechthad," verklaart Job duidelijk verontwaardigd. „En dat is iets wat ik maar moeilijk kan accepteren. Als je niet van harte je huis voor zo'n kind openzet, kun je er inderdaad beter niet aan beginnen."

„Typisch," bedenkt Tineke ineens, „dat wij nooit hebben overwogen ons aan een dergelijk avontuur te wagen."

Even lijkt haar opmerking Job te overvallen. Maar dan lukt het hem toch een verklaring te vinden voor de manier waarop zijzelf met hun kinderloosheid zijn omgegaan. „Wij hebben wij ons waarschijnlijk zo intensief op ons werk gestort dat de gedachte aan een eventuele adoptie ons nooit echt heeft beziggehouden." Daar kan Tineke het wel mee eens zijn. „Ach," stelt zij berustend vast, „ik denk dat je als mens toch de weg volgt die je denkt te moeten gaan in het leven. Misschien is dat maar goed ook want dat leert je in ieder geval om je geluk niet te laten afhangen van de dingen die onbereikbaar voor je zijn."

Omdat zij echter toch het probleem dat Freek hun heeft voorgelegd niet uit haar gedachten kan zetten, besluit zij zo gauw mogelijk haar geluk maar eens bij Marijke te gaan beproeven. Het zit er natuurlijk dik in dat ook zij haar niet verder zal kunnen helpen, maar het valt altijd te proberen.

Als Tineke haar de volgende dag belt, informeert zij in eerste instantie naar haar gezondheid. „Zo langzamerhand begin ik wel te merken dat mijn conditie er niet beter op wordt," bekent zij Tineke, „maar ik ben nog steeds blij dat ik het thuis met wat hulp kan redden, al moet ik toegeven dat ik daar uitgerekend vandaag wat meer moeite mee heb." Omdat Tineke intuïtief aanvoelt dat Marijke die laatste opmerking niet zomaar maakt, probeert zij voorzichtig uit te vinden of haar misschien iets dwarszit. Hoewel zij Tinekes belangstellende vragen aanvankelijk bewust probeert te ontwijken, geeft zij ten slotte schoorvoetend toe dat, als haar zoon nog had geleefd, het vandaag zijn verjaardag zou zijn geweest.

„Ik weet niet hoe het komt, maar elk jaar opnieuw heb ik daar last van," verontschuldigt zij zich voor de twijfelachtige stemming waarin zij verkeert. Maar daarvoor lijkt Tineke alle begrip te hebben. „Vergeet niet dat jouw leven negen maanden lang met dat van je zoon verweven is geweest, Marijke," probeert zij begrip te tonen voor haar gevoelens. „Zo'n ervaring blijft je toch bij."

Pas als zij merkt dat zij erin slaagt haar weer wat op te monteren komt zij ertoe om haar te laten weten met welk probleem zijzelf zit.

„Ik heb er al rekening mee gehouden dat jij ook geen flauw idee hebt waar die bewuste plaats ligt," verontschuldigt zij haar bij voorbaat, „maar misschien kun jij mij toch een tip geven waarmee ik verder kan."

„Nou zeg!" Dat is alles wat Marijke aanvankelijk weet uit te brengen als Tineke haar laat merken hoeveel belang zij heeft bij een eventuele aanwijzing.

Als er daarna echter een minutenlange stilte volgt, pakt Tineke de draad van het gesprek maar weer op. „Wat doe je Marijke? Ben je aan het nadenken of is er toch iets bij je gaan dagen?"

„Ik snap niet precies waar je op uit bent!" Uit de nerveuze trilling in Marijkes stem blijkt dat Tinekes vraag haar op de een of andere manier in verwarring heeft gebracht. Maar ook zij lijkt door die ietwat geïrriteerde reactie van haar stuk te raken. „Ik ben nergens op uit," reageert zij geschrokken, „het is toch niet zo vreemd dat ik op de gedachte ben gekomen dat jij mij misschien op weg zou kunnen helpen? Wie heeft er nou jarenlang in Duitsland gewoond, jij of ik?"

„Ik," geeft Marijke met een zucht toe. „Juist daarom begrijp ik niet waarom je je zo angstvallig van de domme houdt. Je weet toch net zo goed als ik dat het uitgerekend gaat om de plaats waar ik al die tijd heb gewoond! Zeg toch gewoon wat je van mij wilt, dan weet ik waar ik aan toe ben!"

Even heeft Tineke het gevoel dat zij niet verder kan denken.

Dit kan niet! dreunt het door haar hoofd, dit is te bizar om waar te zijn. Maar het volgende moment beseft zij dat, als zij niet gelijk open kaart speelt, er tussen Marijke en haar een uiterst pijnlijk misverstand dreigt te ontstaan. „Je moet me geloven, Marijke," hakkelt zij, nog steeds een en al verbijstering. „Ik wist alleen dat je jarenlang in Duitsland hebt gewoond maar niet precies waar. Zelfs Job had daar geen flauw idee van."

„En dus moet ik maar aannemen dat hij daar tot op heden nooit achter is gekomen?" Het ongeloof in Marijkes stem maakt Tineke nog nerveuzer dan zij al is. „Natuurlijk! Wat zou ik voor reden hebben om daarover niet eerlijk te zijn?" Het is er zo nadrukkelijk uitgekomen dat Marijke blijkbaar niet goed meer weet wat zij met Tinekes verklaring aan moet. Maar die praat al haastig verder. „Je snapt toch wel dat, toen jullie elkaar na je terugkeer voor het eerst weer ontmoetten, je adres in het buitenland voor Job geen rol meer speelde. Daarom heeft hij er niet meer naar gevraagd. Maar ook tussen hem en mij is dat onderwerp nooit ter sprake gekomen, dus toen ik op de gedachte kwam om jou over die vraag te bellen, was ik absoluut te goeder trouw!"

„Maar dan begrijp ik nog niet hoe het mogelijk is dat zoiets toevalligs kan gebeuren," meent Marijke alsnog te moeten tegenwerpen, „dit moet doorgestoken kaart zijn. Het is toch onmogelijk dat een zogenaamd argeloze vraag van jouw kant feilloos inhaakt op gebeurtenissen die een blijvend stempel op mijn leven hebben gezet."

Maar op die veronderstelling kan Tineke niet ingaan. Zij heeft Freek immers beloofd niet in detail te treden over de kwestie die hen bezighoudt. Daarom besluit zij daarover tegen Marijke met geen woord te reppen. Het is alsof zij intuïtief voelt dat zij daardoor het vertrouwen dat Freek in Job en haar had, voorgoed zou schaden.

Omdat Marijke inmiddels begrepen heeft dat Tineke haar vraag geheel te goeder trouw heeft gesteld, komt zij er ten slotte toch toe haar iets meer te vertellen over de ligging en het karakter van de plaats waar zij destijds heeft gewoond en gewerkt.

Als Tineke eindelijk de telefoon neerlegt, merkt zij dat er in haar hart toch een gevoel van bevreemding is achtergebleven. Hoe was het mogelijk dat Marijke uitgerekend in Freeks geboorteplaats had gewoond en daar zelfs haar baby had gekregen? Het feit dat zij vanwege dat ongeluk, waarbij ze in coma was geraakt, de adoptie van haar kind niet meer had kunnen herroepen, had toch een onuitwisbaar stempel op haar leven gezet. De onvoorziene dood van dat kind had voor haar een teken kunnen zijn dat zij toch weer de kans kreeg opnieuw te beginnen. Toch wees alles erop dat het haar nooit was gelukt om de herinnering aan die dramatische gebeurtenis voorgoed uit haar geest te bannen. Wat kon het leven toch onvoorspelbaar zijn! Dat zag je maar weer aan Freek! Die onverwachte mededeling dat hij een adoptiekind was en het feit dat hem dat nooit was verteld, had hem geestelijk zo'n dreun gegeven dat zijn hele bestaan erdoor overhoop was gegooid.

Het verdere van de dag lukt het Tineke niet meer om zich los te maken van de veelheid aan gedachten die het gesprek met Marijke bij haar heeft opgeroepen, hoewel zij tegelijkertijd beseft dat het niet verstandig is zich daardoor van de wijs te laten brengen. Met Job deelt zij daarom die avond haar bedenkingen over de feiten die haar vandaag ter ore zijn gekomen. „Als je niet gelooft in toeval moet je wel aannemen dat het leven zelf de zaken voor je op een rijtje zet," probeert zij een verklaring te vinden voor de verbazingwekkende ontdekking die zij vandaag heeft gedaan.

Gespannen kijkt zij Job aan. „Weet je waaraan ik vandaag moest denken?" Hij haalt zijn schouders op. „Geen idee, al merk ik wel dat jij je behoorlijk hebt laten meeslepen door allerlei onuitgesproken veronderstellingen die dat gesprek met Marijke bij je heeft opgeroepen." Onwillekeurig bezorgt

de goedaardige spot in zijn stem Tineke een gevoel van irritatie. „Vind je dat gek? Je snapt toch zelf wel dat ik nogal ondersteboven was van het feit dat Marijke uitgerekend in Freeks geboorteplaats heeft gewoond. Als je uitgaat van zijn leeftijd zou je kunnen stellen dat hij haar zoon had kunnen zijn. Maar dat is natuurlijk onzin, want die leeft niet meer."
„Tja… Zo kan het gaan in de wereld," constateert Job met een zekere nuchterheid, „een dergelijke samenloop van omstandigheden tref je wel vaker aan, dus als ik jou was zou ik maar proberen me niet door allerlei wilde fantasieën van de wijs te laten brengen." Een ogenblik blijft hij nadenkend voor zich uitstaren, om daarna weer tot de werkelijkheid terug te komen. „Zou het niet verstandig zijn om Freek direct maar even te laten weten wat Marijke je over zijn geboorteplaats heeft verteld? Ik denk dat het hem geweldig goed zal doen als hij merkt dat er in ieder geval wordt gewerkt aan de zaak die hem bezighoudt."
Onmiddellijk veert Tineke overeind. „Natuurlijk doe ik dat! Of wil jij hem bellen?"
Maar omdat Job wat paperassen in zijn tas heeft zitten die hij per se vanavond nog wil nakijken, laat hij het graag aan Tineke over om Freek haar bevindingen van de afgelopen dag door te geven.
Het blijkt echter niet gemakkelijk te zijn om hem te bereiken. Telkens als Tineke zijn nummer draait krijgt zij de gesprekstoon te horen. Pas na ruim een uur slaagt zij erin hem aan de lijn te krijgen. „Tjonge, dat was me een toer hoor om erdoor te komen," verzucht zij quasi wanhopig, „je toestel was voortdurend bezet. Ik zou haast denken dat je het 's avonds nog drukker hebt dan overdag."
Maar daarover kan Freek haar onmiddellijk uitleg geven, hoewel hij zich nog even op de vlakte houdt. „Jij weet natuurlijk niet wat ik weet, Tineke."
Het valt haar op dat zijn stem minder gespannen klinkt dan tijdens hun laatste ontmoeting. „En dat is?"

„Ach, eigenlijk niks bijzonders," probeert hij haar op het verkeerde been te zetten om daarna uit te leggen dat hij gewoon bezig is zijn verjaardag te vieren. Dat feit verklaart de vele telefoontjes van het afgelopen uur.

Wat geschrokken verontschuldigt Tineke zich omdat zij hem, als zij dit had geweten, al veel eerder op de dag zou hebben gebeld. Maar Freek verzekert haar plagend dat hij daarop dan in ieder geval het volgende jaar rekent. „Ik heb een geweldige dag gehad, Tineke," verandert hij echter direct daarop van toon. „Het leek wel alsof iedereen hier in huis het nodig vond om mij een extra oppepper te geven."

„Vind je dat erg?" Hoewel die opmerking spottend is bedoeld kan Tineke niet verhinderen dat er in haar stem toch een ondertoon van ernst te bespeuren is. „Nee," geeft Freek ronduit toe, „ik denk dat ik juist nu al die bewijzen van liefde en vriendschap nodig had om te beseffen dat ik het niet kan maken om te blijven steken in mijn persoonlijke sores, al houden die mij nog wel behoorlijk bezig."

„Heeft je moeder vandaag nog iets van zich laten horen?" informeert Tineke voorzichtig. Maar die vraag moet Freek ontkennend beantwoorden.

„Voorlopig gaan wij elkaar even uit de weg," licht hij de situatie toe die er tussen hen is ontstaan, „maar als het weer mogelijk is om een beetje redelijk met elkaar te praten wil ik wel proberen haar een plaats in mijn leven te blijven geven. Tenslotte heeft zij mij opgevoed en alle kans gegeven om ook op maatschappelijk terrein mijn draai te vinden."

Als Tineke vervolgens voor de dag komt met de inlichtingen die Marijke haar heeft gegeven, blijkt Freek haar daarvoor uitbundig dankbaar te zijn.

„Ik ga er beslist iets mee doen," verzekert hij haar, „en reken er maar op dat ik je van mijn bevindingen op de hoogte zal houden."

Omdat Tineke niet langer beslag wil leggen op zijn tijd breekt zij het gesprek even later af. Job kijkt op van zijn paperassen en laat zijn blik onderzoekend over haar gezicht glijden. „Je ziet er zo ontdaan uit, had Freek iets vervelends te melden? Ik kreeg juist de indruk dat het er tussen jullie heel ontspannen aan toe ging."

„Dat ging het ook," bevestigt Tineke met onvaste stem, „maar ik wilde hem niet laten merken dat ik een gevoel had alsof ik door de grond ging toen hij mij vertelde dat hij vandaag jarig was."

„Hè?" Niet-begrijpend kijkt Job haar aan. Maar als zij hem laat weten wat Marijke haar tijdens hun laatste telefoongesprek heeft toevertrouwd, fronst ook hij zijn voorhoofd.

„Dus Freeks verjaardag valt samen met die van haar zoon?"

„Precies!" verzekert Tineke hem geëmotioneerd, „daarom kan ik bijna niet meer geloven dat het hier om een toevallige samenloop van omstandigheden gaat." De laatste woorden zijn er bijna huiverend bij haar uitgekomen.

Ook Job lijkt zich nu aangesproken te voelen door de feiten die onmiskenbaar verwijzen naar een zekere samenhang, al is hij er nog steeds niet aan toe om zich door Tinekes bizarre gedachtegang te laten meeslepen.

„Probeer alsjeblieft reëel te blijven, Tineke," doet hij daarom een serieuze poging haar op hol geslagen verbeelding een halt toe te roepen. „Ik begrijp best dat er in dit geval sprake is van feiten die ogenschijnlijk alles met elkaar te maken hebben, maar wij weten toch allebei dat Marijkes zoon maar een paar weken heeft geleefd, terwijl Freek inmiddels een volwassen man is."

Zijn betoog lijkt op Tineke echter geen enkele indruk te maken. „Weet jij wat er destijds precies met die baby van Marijke is gebeurd? Vergeet niet dat het haar moeder is geweest die kwam aanzetten met de mededeling dat hij was overleden. Misschien heeft zij dat verhaal wel uit haar duim gezogen om haar dochter ertoe te brengen voorgoed een punt te zetten achter het drama dat haar hele toekomst in duigen had gegooid."

153

„Tja, als je zo redeneert is natuurlijk alles mogelijk," werpt Job wat geprikkeld tegen, „maar daar heb je toch geen bewijs voor?"

„Nee, maar ik meen mij wel te herinneren dat jij mij onlangs nog hebt verteld dat die vrouw, als het in haar kraam te pas kwam, het niet zo nauw met de waarheid nam," daagt Tineke hem uit.

„Nou ja…" Ongeduldig haalt Job zijn schouders op. „Dat is wel zo, maar het wil er bij mij gewoon niet in dat zij in staat zou zijn haar glashard wijs te maken dat het kind was overleden."

„Ik denk dat jij er geen idee van hebt waartoe mensen in staat zijn als zij, ter wille van hun eigen gemoedsrust, bepaalde zaken in het leven glad willen strijken," blijft Tineke echter koppig aan haar eigen mening vasthouden. „Er is toch iets in deze kwestie wat mij niet bevalt. En hoe meer ik daarover nadenk hoe onrustiger ik word."

„Als Marijkes moeder nog leefde zou je er misschien langs een omweg achter kunnen komen hoe de vork destijds in de steel heeft gezeten," laat Job een ogenblik zijn gedachten de vrije loop, „nu kun je enkel maar afgaan op veronderstellingen waaruit niets met zekerheid valt af te leiden."

„Oké," erkent Tineke, „maar reken erop dat hierover het laatste woord nog niet is gezegd. Zolang ik het gevoel heb dat het hier wel degelijk om feiten gaat die op de een of andere manier iets met elkaar te maken hebben, kan ik toch niet doen alsof er niets aan de hand is?"

Met een ernstig gezicht buigt Job zich naar haar toe. „Beloof me dat je Marijke niets vertelt over je vermoedens, Tineke. Het leed zou niet te overzien zijn als jij, juist nu zij er lichamelijk zo slecht aan toe is, met zo'n ongeloofwaardig verhaal bij haar aankwam!" Die veronderstelling weet Tineke hem echter onmiddellijk uit zijn hoofd te praten. „Ik gebruik heus mijn verstand wel! Dacht je nou echt dat ik zo lichtvaardig met haar gevoelens zou omgaan?" Maar zelfs nadat zij hem geruststellend heeft toegeknikt blijkt dat zij toch niet van plan is zich zomaar bij de feiten neer te leggen. Nog steeds heeft zij het gevoel dat er een mogelijkheid móét zijn om erachter te komen of de beelden die voortdurend in haar geest blijven opdoemen uitsluitend op fantasie berusten, of misschien toch te maken hebben met een haast onvoorstelbare werkelijkheid. Hoe ze dat aan moet pakken is haar nog niet helemaal duidelijk, maar na daarover eindeloos te hebben nagedacht krijgt zij ten slotte toch een idee dat de moeite van het proberen waard lijkt te zijn. Wellicht zal dat een al jarenlang bestaand misverstand voorgoed uit de weg kunnen ruimen.

13

Heb ik u niet eerder ontmoet?" Aandachtig kijkt
Marijkes broer de vrouw aan die hij zojuist in het
„ kantoortje achter zijn winkel een stoel heeft aangeboden. „Jazeker." Tineke, die hem enkele dagen geleden heeft
opgebeld met het verzoek haar een kwartiertje van zijn tijd te
gunnen, glimlacht hem zo ontspannen mogelijk toe.
„Vorig jaar was ik hier een paar dagen in de buurt en toen ben
ik ook even uw zaak binnengestapt. Wij hebben toen een
gesprekje met elkaar gehad waarop ik graag terug zou willen
komen. Tijdens die ontmoeting heb ik u namelijk verteld dat
Job Berends mijn man is maar misschien kunt u zich dat niet
meer zo precies herinneren."
„Job Berends…"
Het gezicht van de man betrekt. „Ik denk dat het weinig zin
heeft om met u te gaan praten over iemand die al jaren geleden uit mijn gezichtsveld is verdwenen." Tineke probeert hem
echter onmiddellijk duidelijk te maken dat het haar daarom
niet is te doen. „Ik zou liever van u willen horen wat er precies met uw zus is gebeurd nadat zij vlak voor haar verloving
met Job van het ene moment op het andere uit zijn leven verdween."
„Waarom wilt u dat weten?"
Het is Marijkes broer aan te zien dat hij niet bepaald gelukkig
is met haar komst, maar omdat Tineke dit al verwacht had,
laat ze zich daardoor niet uit het veld slaan. „Omdat ik het
vermoeden heb dat er iets in haar leven verschrikkelijk mis is
gegaan," verklaart zij zonder haar blik ook maar een moment
neer te slaan.
Met een onverschillige beweging haalt de man zijn schouders
op. „Ik heb praktisch geen contact meer met Marijke. En over
de dingen die er in het verleden met haar zijn gebeurd, valt,
wat mij betreft, niets te zeggen."

„Weet u dat zeker?" In Tinekes vraag klinkt zo duidelijk haar twijfel door dat Marijkes broer geërgerd zijn hoofd schudt. „Ik snap niet waarom u het nodig vindt om mij lastig te vallen met zaken die ik als afgedaan beschouw."

„Dus u hebt er nooit bij stilgestaan dat Marijkes leven door de gebeurtenissen die zich destijds in uw ouderlijk huis hebben afgespeeld, totaal anders is verlopen dan zij zich had voorgesteld?"

„Waarom zou ik?" De man werpt Tineke een onverschillige blik toe. „Het is al beroerd genoeg geweest dat iedereen in het dorp wist waarom Marijke halsoverkop de benen nam. Als mijn moeder de praatjes die er daarover in het dorp rondgingen niet gelijk de kop had in gedrukt, zouden wij in de zaak geen klant hebben overgehouden." Tineke knikt begrijpend.

„Uw moeder heeft, meen ik, ook Marijkes zaken behartigd nadat zij, vlak voor haar bevalling, vanwege een ongeluk in het ziekenhuis was beland."

Het lijkt erop dat Tinekes zelfverzekerde houding Marijkes broer wat uit zijn evenwicht brengt. „Hoe bedoelt u?"

„Nou ja..." Een ogenblik aarzelt zij nog maar dan besluit zij de knuppel in het hoenderhok te gooien, daarvoor is zij tenslotte vanmorgen in alle vroegte op stap gegaan. Zelfs tegen Job heeft zij niet gezegd wat zij van plan was. Hij verkeert in de veronderstelling dat zij er gewoon een dagje tussenuit heeft gewild om te gaan winkelen. Maar niets is minder waar, want na een ingewikkelde reis met het openbaar vervoer is zij op de afgesproken tijd bij Marijkes broer aangekomen.

„Omdat zij wist dat Marijke het kind niet wilde houden en al een adoptieverklaring had ondertekend, heeft zij het direct na de geboorte door de pleegouders laten ophalen. Dat lag, gezien de toestand waarin Marijke op dat moment verkeerde, misschien voor de hand. Maar omdat deze in coma was kon zij haar moeder niet vertellen dat zij, net voor zij dat ongeluk kreeg, had besloten om definitief een streep door dat adoptieplan te halen en het kind gewoon te houden."

„Dus valt mijn moeder niets kwalijk te nemen!" Het is er bij Marijkes broer zo fel uitgekomen dat Tineke even in verwarring dreigt te raken. Vrijwel onmiddellijk weet zij zich echter te herstellen.

„Daarover kunnen wij het eens zijn!" stelt zij zo rustig mogelijk vast. „Maar waar uw moeder, toen Marijke eenmaal uit het ziekenhuis was ontslagen, de bewering vandaan haalde dat de baby enkele weken na de geboorte onverwachts was overleden, begrijp ik nog steeds niet. En waarom zij er tegelijkertijd bij haar op aandrong om achter alles wat met de komst van dat kind in verband had gestaan definitief een punt te zetten, is mij helemaal een raadsel. Welke vrouw brengt het op om de herinnering aan zo'n ingrijpend gebeuren voorgoed naar de achtergrond te dringen? Geloof me, Marijkes gedachten zijn nog steeds bij dat kind en het verleden achtervolgt haar nog altijd als een schrikbeeld!"

„Tja…" Marijkes broer lijkt ineens door te hebben dat Tinekes betoog inderdaad alles te maken moet hebben met de moeizame manier waarop zijn zus sinds haar terugkeer uit Duitsland, zich binnen de familiekring heeft bewogen. Van een ongedwongen contact tussen hen is nauwelijks meer sprake geweest en voor zijn gevoel zit dat er ook niet meer in. Maar hij piekert er niet over dat tegenover een hem totaal onbekende vrouw toe te geven.

Geprikkeld recht hij zijn rug. „Mijn moeder was er heilig van overtuigd dat Marijke, als zij eenmaal wist dat haar kind niet meer leefde, eerder geneigd zou zijn om de draad van haar bestaan weer op te pakken. En daarin heeft zij gelijk gekregen. Kort daarna is Marijke weer aan het werk gegaan en leek zij zich met het gebeurde te hebben verzoend." De zelfgenoegzaamheid waarmee de man tegenover haar zijn verklaring beëindigt geeft Tineke even het gevoel dat zij misschien toch de plank heeft misgeslagen, maar het volgende ogenblik realiseert zij zich dat Marijkes broer waarschijnlijk maar één bedoeling heeft: tegenover haar geen woord los te laten over de werkelijke gang van zaken in deze kwestie. Daarom geeft zij haar poging om hem te confronteren met feiten die haar dwarszitten, nog steeds niet op.

„Kunt u zich nog herinneren hoe uw moeder aan de weet is gekomen dat Marijkes baby was overleden?" De man lijkt nu werkelijk zijn geduld te verliezen.

„Realiseert u zich wel dat het hier om een familieaangelegenheid gaat waarmee u niets te maken hebt?"

„Jazeker! Maar als vriendin van Marijke wil ik over die door uw moeder gedane bewering toch iets meer te weten zien te komen," kaatst Tineke, zonder zich een ogenblik te bedenken, de bal terug.

„Job en ik besteden al maandenlang de nodige aandacht aan haar. Niet alleen omdat zij momenteel ziek is en niemand van jullie zich daarover het hoofd lijkt te breken, maar ook omdat ik door een samenloop van omstandigheden de indruk heb gekregen dat uw moeder Marijke destijds moedwillig om de tuin heeft geleid. Volgens mij is haar kind nog steeds springlevend!"

„Dus u denkt dat mijn moeder er bewust op uit is geweest om Marijke op het verkeerde been te zetten?" Hoewel de dreigende toon waarop de man tegenover haar die vraag heeft gesteld weinig goeds voorspelt, voelt Tineke op dit moment sterker dan ooit de drang om koste wat het kost de waarheid boven tafel te krijgen. „Ja, dat denk ik," komt zij daarom onverschrokken voor haar mening uit, al realiseert zij zich wel dat die nog steeds berust op vermoedens. Maar haar zelfverzekerde reactie lijkt toch doel te hebben getroffen, want in de houding van Marijkes broer bespeurt zij opeens een zekere onrust. „En als dat zo zou zijn, wat dan nog?" probeert hij haar te overtroeven. „Wat mijn moeder destijds met Marijke heeft verhandeld gaat geen mens iets aan, en als ik u was zou ik mij daarover dan ook maar niet druk maken. Anders zorg ik er wel voor dat u het voortaan uit uw hoofd laat om mij met zo'n nepverhaal lastig te komen vallen."

Zijn verweer maakt echter op Tineke geen enkele indruk meer. „Hij weet dat mijn vermoedens juist zijn! hamert het in haar hoofd, „maar hij weigert het toe te geven.

In de daaropvolgende minuten doet zij daarom ook geen moeite meer om haar gevoelens van verontwaardiging voor hem te verbergen. „Ik weet genoeg," laat zij hem met trillende stem weten. „Mijn intuïtie heeft mij al eerder duidelijk gemaakt dat het hier niet om een verzinsel van mijn kant gaat. Ik hoop dat u beseft hoeveel onrecht Marijke is aangedaan. Tot op de dag van vandaag hebben zij en haar zoon niets van elkaar afgeweten, terwijl dat wel het geval had kunnen zijn."

Met een driftige beweging staat Marijkes broer op van zijn stoel. „U weet niks!" schreeuwt hij Tineke toe. „U denkt mij wel te kunnen intimideren, maar daarin vergist u zich. Mijn moeder zou zich omdraaien in haar graf als zij wist met welke bedoeling u naar mij toe bent gekomen. Want één ding kan ik u verzekeren: als zij Marijke inderdaad een verkeerde voorstelling van zaken heeft gegeven, dan heeft zij dat gedaan voor haar bestwil."

Een ogenblik aarzelt Tineke maar dan kijkt zij Marijkes broer verwijtend aan. „Waarom geeft u nou niet ronduit toe dat u wel degelijk weet waarover ik het heb? Ik neem het u niet kwalijk dat uw moeder het destijds nodig heeft gevonden om de waarheid geweld aan te doen. Wat ik alleen niet snap is dat jullie als familie Marijke al die jaren rustig in de waan hebben gelaten dat zij haar kind inderdaad kwijt was."

Maar tegen die constatering tekent Marijkes broer onmiddellijk protest aan. „Ik ben de enige in de familie met wie mijn moeder pas vlak voor haar dood bepaalde zaken die zij kwijt wilde, heeft doorgenomen. Maar u denkt toch niet dat ik erover peins om ook maar iets over de inhoud van die gesprekken aan wie dan ook los te laten?"

„Dus u hebt het ook niet nodig gevonden na die bekentenis alsnog het een en ander recht te zetten?"

De ongelovige blik waarmee Tineke de onbewogen man

tegenover haar aanstaart, lijkt hem nog wreveliger te maken dan hij al is. „Daarvoor hoef ik mij tegenover u niet te verantwoorden!"

„Nee," dient Tineke hem zo rustig mogelijk van repliek, „maar ik meen te weten dat u hier in dit dorp doorgaat voor iemand die op kerkelijk gebied vrij hoog staat aangeschreven. Daarom veronderstel ik dat u in een kwestie als deze wel verantwoording schuldig bent aan Iemand die nog beter dan ik weet waarover wij het met elkaar hebben!"

„Dat maak ik zelf wel uit!" snauwt hij haar zichtbaar beledigd toe, „en daarom kunt u nu beter gelijk maar uw biezen pakken, want ik heb schoon genoeg van uw aanmatigend geklets. Het zou toch te gek zijn als ik dergelijke strikt persoonlijke zaken met een wildvreemd iemand zoals u ging bespreken! En wat de familie betreft houd ik mij maar aan het standpunt: Wat niet weet wat niet deert."

„Ik denk niet dat die laatste constatering ook opgaat voor uw zus," meent Tineke hem nog te moeten waarschuwen, „voor mij staat het vast dat zij tot op de dag van vandaag om haar kind, dat zij in feite nooit heeft gezien, is blijven treuren."

„Dat is dan jammer."

De totale onverschilligheid die in deze opmerking doorklinkt, overtuigt Tineke er opnieuw van dat het geen enkele zin meer heeft om de discussie nog voort te zetten. Daarom staat zij vastbesloten op om Marijkes broer vervolgens zo rustig mogelijk te laten weten dat zij wel met Job zal overleggen wat haar met betrekking tot deze kwestie nog te doen staat. Dat die laatste verklaring hem toch niet helemaal koud laat, merkt zij aan de onzekerheid die zij toch in zijn houding bespeurt en dat overtuigt haar er opnieuw van dat haar veronderstelling dat Marijkes kind nog leeft, juist is.

Maar als zij enkele ogenblikken later zijn huis verlaat, staat zij buiten te tollen op haar benen. Zelfs op weg naar huis lukt het haar niet om de opwinding die zich steeds meer meester van haar heeft gemaakt, terug te dringen. Marijke en Freek horen bij elkaar! gonst het onafgebroken door haar hoofd, maar ze weten het niet!

En dat is tenslotte ook de boodschap waarmee zij, vrijwel direct na haar thuiskomst, Job de schrik van zijn leven bezorgt.

„Ik kon het niet laten om iets te doen met die vermoedens waarmee ik al een paar dagen rondliep," verontschuldigt zij zich tegenover hem als hij zich hoogst verbaasd toont over de doortastende manier waarop zij de afgelopen dag heeft geprobeerd duidelijkheid te scheppen.

„Was je bang dat ik eroptegen zou zijn dat je je licht wilde gaan opsteken bij Marijkes broer?" informeert hij nog steeds overweldigd door de feiten waarvan zij hem zojuist op de hoogte heeft gebracht.

„Nee, maar je was er zo zeker van dat ik mij in deze zaak te veel door mijn verbeelding liet meeslepen, dat ik gewoon wilde weten of je gelijk had. Toen ik erachter kwam dat Freeks verjaardag samenviel met de geboortedatum van Marijkes kind, wist ik gelijk dat hier geen sprake was van toeval. Maar zolang je een feit niet hard kunt maken, blijf je zoeken naar bewijzen die jouw mening staven."

„En je bent ervan overtuigd dat Marijkes broer je die in handen heeft gespeeld?"

Daarover laat Tineke geen enkele twijfel bestaan. „Hij probeerde wel om de waarheid heen te draaien," bekent zij Job, „maar de informatie die ik ten slotte van hem los wist te krijgen was duidelijk genoeg. Ik ben er voor negenennegentig procent zeker van dat Marijkes moeder haar inderdaad via een leugen weer met beide benen op de grond heeft willen krijgen, zodat zij na die periode in ieder geval de moed zou vinden om een streep te zetten onder het verleden, om alsnog aan een nieuw bestaan voor zichzelf te kunnen gaan bouwen."

Niet-begrijpend schudt Job zijn hoofd. „Dat die vrouw niet is gestikt in haar eerste leugen wist ik wel," merkt Job op, „maar dat zij in staat zou zijn Marijkes gevoelens op zo'n ingrijpende manier geweld aan te doen, had ik niet voor mogelijk gehouden."

„Misschien dacht zij op die manier ook met zichzelf in het reine te kunnen komen," veronderstelt Tineke. Dan werpt zij Job een bijna wanhopige blik toe. „Maar wat moeten wij nou met de wetenschap dat Marijke naar alle waarschijnlijkheid Freeks biologische moeder is?"

Hoewel zij intussen aan de avondmaaltijd zijn begonnen lijkt die vraag hen zo bezig te houden dat zij nauwelijks een hap naar binnen kunnen krijgen. „Voorlopig nog niets!" stelt Job ten slotte met een zekere beslistheid vast. „Wij kunnen pas op die zaak ingaan als de feiten waarop wij nu zijn gestuit, serieus zijn onderzocht en er geen enkele reden tot twijfel meer is."

Het is echter een totaal onverwachte gebeurtenis die de zaak waarmee hun gedachten voortdurend vervuld zijn, enkele dagen later een uiterst verrassende wending geeft.

Als zij op zaterdagavond tegen negenen besluiten om nog even een ommetje te maken, blijkt bij hun thuiskomst dat Marijke op de voicemail een boodschap heeft ingesproken waarin zij hun dringend vraagt zo gauw mogelijk contact met haar op te nemen. Omdat Tineke aan haar stem hoort dat het om een ernstige aangelegenheid gaat, kijkt zij Job aan. „Draai jij haar nummer even? Dan hoor ik van jou wel wat er aan de hand is."

Maar als hij Marijke aan de lijn krijgt begrijpt hij algauw dat het haar in eerste instantie om Tineke is te doen. Nadat zij met bonzend hart de telefoon van hem heeft overgenomen, dwingt ze zichzelf tot kalmte. Marijke echter steekt gelijk opgewonden van wal. Totaal overstuur laat zij Tineke weten dat haar oudste broer haar een uur geleden onverwachts een bezoek heeft gebracht om een kwestie die hem nogal hoog zat, met haar uit te praten.

Even heeft Tineke het gevoel dat de grond onder haar voeten

wegzakt. „Je meent het niet!" Dat is alles wat zij aanvankelijk weet uit te brengen. Maar over dat laatste laat Marijke geen enkele twijfel bestaan. „Als er één is die kan weten dat hij wel degelijk een reden had om langs te komen ben jij het, Tineke," verklaart zij huilend. „Jij bent tenslotte degene geweest die hem ronduit heeft durven zeggen dat je bepaalde twijfels had over de dood van mijn kind."

„Ik kon niet anders, Marijke," bekent Tineke, tot het uiterste gespannen, omdat zij niet weet waar dit gesprek op zal uitdraaien. „Het heeft alles te maken met een samenloop van omstandigheden waarbij ik geen rust meer had. Je broer weigerde weliswaar op mijn vermoedens in te gaan, maar zag ook geen kans mij ervan te overtuigen dat ik ongelijk had."

„Dat had je ook niet," schreeuwt Marijke haar wanhopig toe. „Mijn moeder heeft dat verhaal over de dood van mijn kind zelf bedacht, zogenaamd voor mijn bestwil. Pas op haar sterfbed heeft zij dat tegenover mijn broer bekend."

„Als ik het niet dacht!" brengt Tineke verbijsterd uit, omdat zij nu uit Marijkes eigen mond hoort dat zij het inderdaad bij het rechte eind heeft gehad. Maar het volgende ogenblik luistert zij met toenemende bezorgdheid naar het vertwijfelde beroep dat Marijke doet op haar morele steun.

„Ik weet niet wat ik hiermee aan moet, Tineke! De gedachte dat mijn kind waarschijnlijk nog leeft is gewoon onverteerbaar."

Een ogenblik voelt Tineke zich nauwelijks in staat om op Marijkes noodkreet te reageren. Maar dan wint haar verstand het van haar gevoel. „Het is nu te laat om nog in de auto te stappen, maar morgen komen Job en ik zo gauw mogelijk naar je toe. Dit is geen gebeurtenis die je zomaar even verwerkt. Daarom piekeren wij er niet over om je onder deze omstandigheden alleen te laten zitten."

Pas als zij merkt dat haar toezegging Marijke wat rustiger maakt, waagt zij het om te informeren naar de reden die haar broer voor zijn onverwachte komst heeft gegeven.

„Toen ik hem deze week opzocht was hij absoluut niet bereid mij het achterste van zijn tong te laten zien. Daarom snap ik niet waaraan je die onverwachte openheid te danken hebt."

„Misschien dat jouw bezoek hem meer heeft gedaan dan hij aanvankelijk toe wilde geven," probeert Marijke de situatie te doorzien. „Hij wist tenslotte niet dat ik ziek was, maar blijkbaar heeft jouw verhaal daarover toch een zekere ongerustheid bij hem gewekt. Ik denk dat hij toen heeft besloten om alsnog open kaart met mij te spelen."

„Het is bijna niet te geloven dat je moeder het heeft kunnen opbrengen om al die jaren in haar leugenverhaal te blijven volharden," laat Tineke een ogenblik haar gedachten de vrije loop, „maar ik vermoed dat zij uiteindelijk toch in gewetensnood is gekomen."

Door Tinekes woorden lijkt Marijke enigszins tot rust te komen. „Sorry dat ik jullie zo laat op de avond nog met deze kwestie lastig ben komen vallen," verontschuldigt zij zich merkbaar kalmer dan daarnet, „maar na het vertrek van mijn broer had ik geen rust meer en moest ik gewoon mijn hart even luchten. Het is tenslotte niet niks wat ik van hem te horen heb gekregen."

„Morgen praten wij er verder over," belooft Tineke haar opnieuw, terwijl het echter tegelijkertijd tot haar doordringt dat Marijke in verband met de feiten die Job en zij te weten zijn gekomen, waarschijnlijk nog veel meer emoties te verwerken zal krijgen.

„Nou? Wat heb ik je gezegd?" Terwijl Tineke de hoorn op de haak legt werpt zij Job een veelbetekenende blik toe. „Ik wist wel dat de zelfverzekerdheid waarmee Marijkes broer mij te woord stond alleen bedoeld was om mij de mond te snoeren."

Job, die inmiddels heeft begrepen wat de reden is geweest van Marijkes late telefoontje, pakt opgelucht haar hand.

„Heb je er al bij stilgestaan dat er nu geen enkele reden meer is om onze visie op deze kwestie nog langer voor Marijke te verzwijgen? Nu zij weet dat haar kind waarschijnlijk nog leeft, kunnen wij haar toch met een gerust hart laten weten wat wij intussen hebben ontdekt."

Verrast kijkt Tineke hem aan. „Je hebt gelijk!" Even lijkt zij te aarzelen. Maar dan besluit zij Job zonder meer te laten delen in de steeds sterker wordende gedachten die haar op dit moment bestormen. „Het lijkt wel of er een onzichtbare macht aan het werk is die dit drama tot een ontknoping wil brengen."

Job knikt begrijpend. „Soms beleef je dingen die als een regelrecht wonder op je overkomen, maar vaak zijn het de meest alledaagse gebeurtenissen die daartoe de aanleiding vormen."

Nog diezelfde avond wordt hij in die mening bevestig als hij er samen met Tineke de tijd voor neemt om een van de cd's te beluisteren die zij enkele dagen daarvoor op een rommelmarkt heeft opgescharreld.

„Het is goed om even die hele geschiedenis los te laten en je te ontspannen," meent Job als hij ziet hoe Tineke erdoor in beslag genomen wordt.

Terwijl de klanken van een oud, vertrouwd gezang de kamer beginnen te vullen realiseert Tineke zich ineens dat de inhoud daarvan een trefzekere afronding vormt van hun zojuist gevoerde gesprek. Zichtbaar ontroerd maakt zij Job attent op de woorden die hen duidelijker dan ooit op het hart lijken te drukken:

Waar de weg mij brengen moge,
aan des Vaders trouwe hand,
loop ik met gesloten ogen
naar het onbekende land.

Als Job een kwartier later op het punt staat de lichten in de huiskamer uit te knippen, slaat hij in een impuls zijn arm om haar heen. „Ik heb het gevoel dat er dingen staan te gebeuren waar wij zelfs in onze stoutste dromen nooit aan hebben gedacht, Tineke. Maar dan moeten wij wel proberen om te blijven geloven in het feit dat God op Zijn tijd de dingen die

ons overkomen, in ons levensplan zal weten in te passen."
Het is die avond dat zij ernstiger dan ooit bidden om wijsheid
en het verkrijgen van een zuivere kijk op hun persoonlijke
bemoeienis met de kwestie die voor Marijke zo ingrijpend is.
En op de een of andere manier groeit daardoor het vertrouwen
in de juiste afloop daarvan.

14

Als Tineke en Job in de namiddag van de volgende dag Marijkes huis binnenstappen, blijkt ze er niet al te florissant aan toe te zijn.

Haar gezicht ziet grauw en de wallen om haar ogen spreken voor zich. Maar in haar blik is duidelijk de dankbaarheid te lezen voor het feit dat zij eindelijk de kans krijgt haar hart te luchten.

Zodra Tineke en Job zich hebben geïnstalleerd, beginnen zij daarom maar gelijk over het telefoontje dat zij de avond daarvoor van Marijke hebben gekregen.

„Je hebt je misschien afgevraagd waarom ik je broer vorige week ben gaan opzoeken," begint Tineke het gesprek. „Maar ik zou er geen rust bij hebben gehad als ik het niet had gedaan."

„Wist je dan toen al wat er aan de hand was?" Het ongeloof in Marijkes stem bewijst dat zij nog steeds niet begrijpt wat Tinekes reden is geweest om contact met haar broer te zoeken.

„Nee, maar door de informatie die jij mij gaf over je verblijfplaats in Duitsland en bepaalde feiten waarmee ik kort geleden op een andere manier werd geconfronteerd, kreeg ik ineens het vermoeden dat jouw verhaal over de dood van je zoon wel eens op een vergissing zou kunnen berusten. En daar wilde ik hoe dan ook het mijne van weten."

Marijke kijkt haar indringend aan. „Een vergissing? Het was een leugen!" Vooral dat laatste woord is er met zoveel nadruk uitgekomen dat zij er alle drie een ogenblik verslagen het zwijgen toe doen.

„Die bekentenis van je broer moet je wel heel rauw op je dak zijn gevallen," probeert Job dan voorzichtig haar gevoelens te peilen, „maar het is goed dat hij tijdig heeft ingezien dat het misdadig zou zijn geweest jou nog langer in de waan te laten dat je kind niet meer leeft."

Vertwijfeld trekt Marijke haar schouders op. „Maar meer dan dat ben ik niet van hem te weten gekomen. Hij wist ook niet waar de baby na zijn geboorte terecht was gekomen, laat staan dat hij mij kon vertellen wat er van hem is geworden." Terwijl zij het zegt barst zij in tranen uit.

Tineke zit er als versteend bij terwijl zij zich voortdurend afvraagt of het verstandig is Marijke te laten weten tot welke conclusie zij zelf is gekomen. Stel dat haar vermoedens over de rol die Freek in dit hele gebeuren speelt, nergens op slaan. Dan wekt zij verwachtingen die deze kwestie nog ingewikkelder maken en Marijke misschien helemaal van slag zullen brengen.

Tersluiks werpt zij Job een vragende blik toe maar ook hij weet niet veel anders te doen dan ietwat hulpeloos zijn wenkbrauwen op te trekken.

Vreemd genoeg lukt het haar echter ook niet de gedachte aan Freek naar de achtergrond te dringen. Terwijl Job zo rustig mogelijk met Marijke praat en haar verzekert dat, als haar zoon inderdaad nog leeft, zijn huidige verblijfplaats vast wel te achterhalen is, laat Tineke voor de zoveelste keer in gedachten de meest opmerkelijke feiten de revue passeren. Freeks geboorte op dezelfde dag en in dezelfde plaats waar Marijke destijds van haar kind was bevallen, zijn adoptie die zij niet meer had kunnen tegenhouden.

Op dat moment flitst er een idee door haar hoofd. Pas als zij merkt dat er een stilte valt in het gesprek dat Job met Marijke heeft gevoerd, waagt zij het voorzichtig de kwestie ter sprake te brengen die zij zo graag tot een oplossing wil brengen.

„Herinner jij je Freek nog, Marijke?" informeert zij, bewust Jobs verschrikte blik ontwijkend. „Je hebt hem op je verjaardag bij ons thuis ontmoet."

Haar vraag lijkt Marijke nauwelijks te interesseren. „Vaag," antwoordt zij mat, „ik weet alleen nog dat hij sympathiek op mij overkwam, maar zijn gezicht kan ik me niet eens meer voor de geest halen."

„Nou kijk…" begint Tineke haar met bonzend hart uit te leggen, „hij was het namelijk die mij onlangs vroeg of ik iemand wist die hem zou kunnen helpen aan bijzonderheden over die plaats in Duitsland waarover hij graag wat meer wilde weten."

„En dat bleek uitgerekend de plaats te zijn waar ik jarenlang had gewoond," vult Marijke aan, hoewel het duidelijk is dat zij met haar gedachten nog steeds elders is. „Maar voor ons was dat een complete verrassing," benadrukt Tineke. „En eerlijk gezegd zou ik het die jongen gunnen om via jou ook de laatste vragen waarmee hij nog zit beantwoord te krijgen, al weet ik natuurlijk niet of je hoofd daar momenteel naar staat."

Marijke fronst haar wenkbrauwen. „Wat dacht je daar zelf van? Je kunt toch wel begrijpen dat ik er, zeker onder deze omstandigheden, niet bepaald op zit te wachten om me bezig te gaan houden met die periode in mijn leven! Ik heb trouwens ook het gevoel dat ik de extra spanningen die zo'n gesprek toch zal oproepen, gewoon niet meer aankan."

„Ik denk wel dat Freek daarvoor begrip zal kunnen opbrengen," probeert Tineke haar vasthoudend voor haar plan te winnen. „Vergeet niet dat die jongen verpleegkundige is. Zulke luitjes merken gauw genoeg hoever zij in hun bemoeiingen met de ander kunnen gaan."

Na nog een ogenblik te hebben nagedacht geeft Marijke zich echter toch aan Tinekes voorstel gewonnen. „Als Freek er niet tegen opziet om naar mij toe te komen, wil ik wel proberen hem ter wille te zijn," verzucht zij, „maar dan moet het ook klaar zijn. Ik wil niet steeds opnieuw geconfronteerd worden met zaken die allerlei pijnlijke herinneringen bij mij oproepen."

„Reken er maar op dat ik hem dat op zijn hart zal drukken," belooft Tineke haar opgelucht, omdat zij nog steeds het gevoel heeft dat haar plan alle kans van slagen heeft.

„Dat was wel een heel riskant voorstel dat je Marijke hebt

gedaan," begint Job tijdens hun terugtocht naar huis gelijk over het verzoek dat zij bij Marijke neergelegd heeft. „Je weet nooit waar zo'n ontmoeting op uitloopt. Als die twee eenmaal met elkaar aan de praat raken kan er van alles boven tafel komen."

Maar Tineke is er nog steeds van overtuigd dat haar aanpak wel degelijk voor een doorbraak kan zorgen in deze situatie.

„Als dat zo is kan er ook een moment komen waarop het duidelijk wordt dat de vragen die nu in hun leven nog onrust veroorzaken, alles met elkaar te maken hebben," betoogt zij, vastbeslotener dan ooit. „En die mogelijkheid heb ik bewust willen creëren."

Eenmaal thuis laat zij het aan Job over om Freek op de hoogte te brengen van het voorstel dat ze Marijke heeft gedaan in verband met de zoektocht naar zijn werkelijke ouders.

„De inlichtingen die Tineke jou al eerder heeft verschaft over je geboorteplaats waren namelijk ook van haar afkomstig," onthult hij Freek via de telefoon. „Voor ons was het een volslagen verrassing toen wij hoorden dat Marijke daar nota bene zelf jarenlang had gewoond. Dus als er nog bijzonderheden zijn die je graag zou willen weten, kan zij je die waarschijnlijk wel verschaffen. Je moet wel even van te voren een telefonische afspraak met haar maken, want zij is er lichamelijk niet al te best aan toe, maar wat dat betreft heb je je ogen niet in je zak. Daarom durf ik je ook met een gerust hart naar haar toe te sturen."

Nadat hij Marijkes adres en telefoonnummer aan Freek heeft doorgegeven informeert hij nog even naar Betty's toestand. Freek kan hem gelukkig verzekeren dat haar zwangerschap naar wens verloopt. „Je hebt er geen idee van hoe geweldig ik het vind dat jullie zo met ons meeleven," verzekert hij Job. „Ik zou bijna het gevoel krijgen dat jullie net zo gespannen uitzien naar de komst van ons kind als wij."

Tineke, die het gesprek woordelijk heeft kunnen volgen,

merkt dat Freeks eerlijk gemeende reactie haar meer ontroert dan zij kan zeggen.

„Die jongen heeft gelijk," bepeinst zij hardop als zij Job even later van een kop koffie voorziet. „Wij hebben een dergelijke gebeurtenis nooit meegemaakt en daarom voelen wij ons waarschijnlijk zo bij de gang van zaken in dat gezinnetje betrokken."

„Typisch toch," merkt Job nadenkend op, „dat de geboorte van een kind op zoveel verschillende manieren kan worden beleefd. Voor de een is het een uitgesproken feest, voor de ander soms een regelrecht drama."

Tineke begrijpt dat hij bij die laatste woorden aan Marijke denkt. Maar op dit moment wil zij daar even niet bij stilstaan. „En wij hebben noch het een noch het ander ervaren," vult zij met een voor haar ongekende kalmte in haar stem Jobs constatering aan.

„Toch denk ik dat wij juist daardoor zowel in vreugde als in verdriet met anderen mee kunnen leven," merkt Job op. „Ook vandaag zijn wij immers weer met twee totaal verschillende belevingswerelden geconfronteerd."

„En wat denk je van Bea en Peter?" realiseert Tineke zich ineens. „Ook die twee hebben nog steeds onze aandacht nodig, want hun vreugde om de komst van hun zoon is uitgelopen op een zee van verdriet waaraan maar geen eind lijkt te komen."

Het is de telefoon die met een doordringend gerinkel hun emotionele gedachtegang doorbreekt. Het is Freek, die hun nog even wil laten weten dat hij er inmiddels in is geslaagd een afspraak met Marijke te maken en er, gezien haar reactie, alle hoop op heeft dat hun ontmoeting toch nog wat belangrijke aanknopingspunten zal opleveren.

„Freek!" Als Marijke enkele dagen later op de afgesproken tijd de deur voor hem opent, glijdt er een glimlach van herkenning over haar gezicht. „Nu weet ik weer wie je bent!

172

Omdat ik je maar één keer had gezien kon ik mij je gezicht absoluut niet meer herinneren," bekent zij, nadat ze zich heeft verontschuldigd voor het feit een wat minder perfecte gast- vrouw te zullen zijn dan hij waarschijnlijk verwacht. „Toevallig heb ik vandaag geen al te beste dag en daarom houd ik mij liever maar zo rustig mogelijk. Maar nu je er bent vind ik het toch fijn om nog eens met je te kunnen praten. Misschien kunnen wij de zaken waarvoor je hier bent zo gauw mogelijk afhandelen, zodat er nog wat tijd overblijft voor een wat interessanter gesprek."

Als Freek haar heeft bedankt voor het feit dat zij hem heeft willen ontvangen en op haar herhaald aandringen een glas ijsthee voor zichzelf heeft ingeschonken, gaat hij in eerste instantie, duidelijk bezorgd, op Marijkes gezondheidstoestand in.

Aandachtig luistert hij naar het verhaal dat zij hem vertelt van de bittere teleurstelling die zij door haar ziekte te verwerken heeft gekregen. „En dan te bedenken dat ik nog zoveel plan- nen had voor de toekomst," bekent Marijke hem, terwijl er een verdrietige trek over haar gezicht glijdt. Maar het volgen- de ogenblik weet zij zich te vermannen en probeert ze haar aandacht bewust op het doel van Freeks komst te richten. „Hebben Tineke en Job je verteld dat ik zoveel van je geboor- teplaats afwist omdat ik er zelf een aantal jaren heb gewoond?"

Freek knikt bevestigend. „Weliswaar pas tijdens ons laatste telefoongesprek, maar ik vind het wel een merkwaardige samenloop van omstandigheden." Een ogenblik kijkt Marijke hem onderzoekend aan. „Ik begrijp nog steeds niet waar je interesse precies naar uitgaat. Mij heeft die plaats nooit geboeid, maar bij jou ligt dat blijkbaar anders."

„Ik ben van plan er binnenkort heen te gaan," legt Freek haar uit, „om een aantal zaken die met mijn persoonlijk leven te maken hebben opgehelderd te krijgen." Hoewel hij zich had voorgenomen tegenover Marijke niet op de details daarvan in te gaan, is het alsof hij er steeds meer behoefte aan krijgt om open kaart met haar te spelen. Als bij intuïtie voelt hij dat deze vrouw zijn vertrouwen waard is. „Soms gebeuren er dingen in je leven die je niet had voorzien," bereidt hij zijn uitleg voor, „en dat is ook mij overkomen toen ik kort geleden een nogal pijnlijk gesprek met mijn moeder had."

Geschrokken zoeken Marijkes ogen de zijne. „Het was niet mijn bedoeling je in verlegenheid te brengen Freek. Als je dit gesprek zakelijk wilt houden heb ik daar alle begrip voor." Maar hij haast zich haar te verzekeren dat het in dit geval toch goed is om haar wat meer informatie te geven over de reden van zijn bezoek. „Het betreft hier namelijk een voor mij nogal ingewikkelde kwestie," legt hij Marijke zo rustig mogelijk uit. „Pas een paar weken geleden kreeg ik namelijk van mijn moeder te horen dat niet zijzelf maar een haar onbekende vrouw mij daar op de wereld heeft gezet."

„Hè?" Als door de bliksem getroffen staart Marijke hem aan. Even lijkt haar oprechte verbazing Freek van zijn stuk te brengen, maar na een korte aarzeling vervolgt hij ogenschijnlijk even kalm als daarnet zijn uiteenzetting.

„Voor mij was dat natuurlijk een mededeling die mijn leven van de ene minuut op de andere op zijn kop zette. Zomaar kreeg ik te horen dat ik voor mijn ouders altijd het kind van een ander was geweest, terwijl ik daar nooit iets van had geweten."

Verbijsterd schudt Marijke haar hoofd. „Dat moet een hele ontnuchtering voor je zijn geweest."

„Dat was het ook," bevestigt Freek, „vooral omdat het mij op dat moment ook duidelijk werd dat daar de oorzaak lag van de afstand die er op de een of andere manier altijd tussen ons is geweest. Na de dood van mijn vader leek mijn moeder wel wat meer naar mij toe te trekken, maar het is haar nooit gelukt echt eigen met mij te worden. En onbewust moet ik dat toch als een gemis hebben ervaren, want pas sinds dat gesprek met haar zijn er allerlei beelden uit mijn kinderjaren naar boven gekomen die mij destijds vaag het gevoel gaven dat er in ons gezin iets niet klopte. Waarschijnlijk heb ik daar toen niet al te zwaar aan getild, want voor zover ik mij kan herinneren heb ik toch een redelijk gelukkig jeugd gehad."

„Maar echt rust heb je er niet meer bij, als ik mij niet vergis," veronderstelt Marijke, die Freeks verhaal met toenemende spanning heeft gevolgd. Het idee dat háár kind misschien ook iets dergelijks zou zijn overkomen roept ongewild zoveel weerstand bij haar op, dat zij er moeite mee heeft haar gedachten bij Freeks belevenissen te blijven bepalen.

„Nee, want nu ik weet dat ik mijn echte moeder nooit heb gekend, zegt mijn verstand dat ik haar, als zij nog leeft, toch nog ergens moet kunnen vinden."

„Wil je dat echt?" De ongelovige blik die Marijke hem toewerpt laat niets aan duidelijkheid te wensen over. Maar op Freek lijkt haar reactie geen indruk te maken. „Natuurlijk wil ik dat!" verklaart hij vastbesloten. „Nu ik eenmaal weet dat ik direct na mijn geboorte ter adoptie ben afgestaan, wil ik er gewoon achter zien te komen waarom dat is gebeurd!"

„Om je biologische moeder daarover alsnog een verwijt te maken?" Tot het uiterste gespannen kijkt Marijke hem aan. Die gedachte wijst hij echter resoluut van de hand.

„Stel dat het mij lukt haar te vinden, dan wil ik eerst haar kant van het verhaal horen. Maar zelfs al valt dat tegen dan denk ik er niet aan daarover na al die jaren nog moeilijk te gaan doen. Daar worden wij toch geen van beiden beter van?"

Een ogenblik lijkt de ontroering Marijke te machtig te worden. „Je bent een bewonderenswaardig mens, Freek," verklaart zij dan, tevergeefs haar tranen verdringend. „Als jij mijn zoon was zou ik mij de koning te rijk voelen. Daarom hoop ik dat je zoektocht iets oplevert."

Nadat Freek op Marijkes advies nog wat aantekeningen heeft gemaakt die hem bij de uitwerking van zijn plan van pas kunnen komen, klapt hij met een tevreden zucht zijn opschrijfboekje dicht.

„Ik ben je zo dankbaar, Marijke," laat hij haar dan uit de grond van zijn hart weten, „dat je mij, ondanks dat je er momenteel zo beroerd aan toe bent, toch nog wat namen en adressen hebt gegeven die voor mij misschien van belang kunnen zijn."

Terwijl hij het eenvoudige, in leer gebonden boekje in de binnenzak van zijn colbertje bergt, glijdt er een schalkse glimlach over zijn gezicht. „Betty gaf mij dit boekje twee weken geleden als extraatje voor mijn verjaardag, op voorwaarde dat ik het speciaal zou gebruiken voor het maken van aantekeningen in verband met de zoektocht naar mijn moeder."

Zijn opmerking lijkt echter maar gedeeltelijk tot haar door te dringen. „Twee weken geleden?" Omdat die woorden er bijna ademloos zijn uitgekomen en Marijkes blik iets verwezens heeft gekregen, begrijpt Freek onmiddellijk dat die vraag niet specifiek tot hem is gericht, maar berust op een gedachte die blijkbaar bij haarzelf naar boven is gekomen. Toch voelt hij zich op een onverklaarbare manier gedrongen om aan het feit dat hij zojuist heeft aangekaart nog iets toe te voegen. „Over mijn geboortedatum heeft, voor zover ik weet, nooit enige twijfel bestaan. Daarom heb ik die er gelijk maar in genoteerd. Het is wel heel bizar als je over de gebeurtenissen die zich daaromheen hebben afgespeeld pas jaren later iets te horen krijgt. En eerlijk gezegd zit mij dat nog steeds dwars, al probeer ik mijzelf wel voor te houden dat alles wat je in het leven overkomt een bedoeling heeft."

Freeks uiteenzetting over zijn geboortedatum heeft Marijke diep getroffen. De spanning in haar stem is duidelijk hoorbaar als zij vraagt: „Heeft je pleegmoeder je toevallig ook verteld waar je bent geboren? Ik bedoel in het ziekenhuis of op een particulier adres?"

„In het ziekenhuis denk ik," probeert Freek de feiten die hem inmiddels bekend zijn met elkaar te combineren. „In ieder geval hebben mijn ouders mij daar opgehaald."

Pas op dat moment merkt hij dat Marijke hem, trillend over al haar leden, met een doodsbleek gezicht aanstaart. „Is er iets, Marijke?" Geschrokken buigt hij zich naar haar toe. „Voel je je wel goed?"

Maar zij geeft geen antwoord. Pas als zij met een onbeheerste beweging de handen voor haar ogen slaat en geluidloos begint te huilen, dringt het tot hem door dat zijn verhaal op de een of andere manier iets bij haar heeft losgemaakt waardoor zij totaal van streek is geraakt. Als hij echter in een impuls zijn hand op haar schouder probeert te leggen duwt zij die met een ruk van zich af. „Het kán niet!" roept zij vertwijfeld, „dit kán niet!"

Omdat Freek er steeds meer van overtuigd raakt dat deze onverwachte gevoelsuitbarsting niets te maken kan hebben met haar ziekte, laat hij Marijke maar even begaan. Als zij hem echter een moment later met betraande ogen secondenlang aanstaart om zich vervolgens met verstikte stem voor haar emotionele reactie te verontschuldigen, heeft hij er toch geen rust meer bij.

„Dit overkomt je toch niet zomaar, Marijke," stelt hij voorzichtig vast. „Heb ik iets gezegd dat je op een bepaalde manier pijn heeft gedaan? Misschien had ik beter niet kunnen uitweiden over die adoptiekwestie, maar dat kwam ook omdat ik het gevoel had dat jij je daarbij zo betrokken voelde."

Met een besliste beweging schudt Marijke haar hoofd. „Jij hebt hier geen schuld aan, Freek," maakt zij hem met bevende stem duidelijk, terwijl zij tevergeefs probeert haar emoties de baas te worden, „maar ik kreeg ineens het gevoel dat jouw verhaal wel eens alles te maken kon hebben met een nogal pijnlijke ervaring die ik destijds in datzelfde ziekenhuis had."

Langzaam maar zeker begint Marijke door te krijgen dat er inderdaad verband moet bestaan tussen Freeks belevenissen en die van haarzelf, hoewel zij die onthutsende gedachte nog steeds krampachtig van zich af probeert te zetten. Zijn geboortedatum klopt, hamert het in haar hoofd, volgens het jaartal is hij even oud als mijn eigen zoon... allebei waren wij dus op dezelfde dag in hetzelfde ziekenhuis.

Terwijl het zweet haar uitbreekt en een soort paniek zich van haar meester maakt, buigt Freek zich nietsvermoedend naar haar toe. „Sommige gebeurtenissen kunnen je inderdaad levenslang bijblijven," probeert hij begrip op te brengen voor de onrust die zich van haar meester heeft gemaakt. „Maar blijkbaar heb je er ook de nodige pijn aan overgehouden. En dat kan erop duiden dat je nooit aan de verwerking ervan bent toegekomen."

Freeks goedbedoelde woorden lijken echter nauwelijks tot Marijke door te dringen. Nu pas merkt hij hoe nerveus zij is geworden, terwijl in de blik waarmee zij hem aankijkt een groeiende wanhoop is te lezen.

Daardoor begint ook hij zich onzeker te voelen.

„Waar denk je aan, Marijke?" Er klinkt zoveel warmte in zijn stem dat Marijke opnieuw haar zelfbeheersing verliest en met een machteloos gebaar zijn hand grijpt. „Ik denk aan het kind dat ik destijds zelf verwachtte," fluistert zij met een door tranen verstikte stem. „Uit jouw verhaal heb ik begrepen dat hij op dezelfde dag werd geboren als jij." Verder dan die emotionele onthulling komt zij niet, want het lijkt alsof Freek zich nu pas realiseert wat er deze middag in haar is omgegaan. Sprakeloos staart hij haar aan. „Ik wist niet dat je nog een zoon had," stamelt hij, zichtbaar met de situatie verlegen. „Of is er iets met hem gebeurd waardoor je zo van streek bent geraakt?"

„Dat is het hem juist," bekent Marijke hem, trillend over al haar leden, „ik heb nooit geweten wat er na zijn geboorte met hem is gebeurd. Omdat hij een onwettig kind was had ik toegestemd in een adoptie, maar vlak voor de bevalling wist ik ineens dat ik nooit vrede zou kunnen hebben met die beslissing."

„En toen?" Langzaam begint Freek te beseffen dat Marijkes onthulling feiten aan het licht brengt die haar leven op een uiterst ingrijpende manier hebben getekend.

Een ogenblik haalt Marijke diep adem. Dan gooit zij er, struikelend over haar eigen woorden, alles uit wat haar het afgelopen half uur waarschijnlijk geleidelijk aan duidelijk is geworden. „Ik kreeg de kans niet meer Freek, om mijn besluit nog te herroepen. Toen ik vlak voor de bevalling op weg was naar het ziekenhuis raakte ik betrokken bij een ernstig auto-ongeluk. In bewusteloze toestand werd ik direct naar de operatiekamer gebracht, waar de doktoren mijn kind, dat nog bleek te leven, operatief hebben gehaald. Pas toen ik enkele dagen later begon bij te komen kwam ik tot de ontdekking dat ik mijn kind kwijt was, omdat zijn adoptiefouders zich al over hem hadden ontfermd."

„Dus je hebt het ook nooit gezien?" Ongelovig staart Freek haar aan. Maar Marijke kan niet veel anders doen dan die vraag bevestigend beantwoorden. Dan trekt alle kleur uit Freeks gezicht weg. „En nu denk jij…" stamelt hij, „nu heb jij het gevoel…" Verder dan die paar woorden komt hij niet. Met een machteloos gebaar maakt zij hem duidelijk zelf ook geen raad te weten met de groeiende onzekerheid die er tussen hen is ontstaan. „Ik weet niet wat ik moet denken, Freek," brengt zij er met moeite uit, terwijl haar ogen hem geen moment meer loslaten, „maar in jouw verhaal en het mijne lijken de feiten zo op elkaar aan te sluiten dat er bijna geen vergissing mogelijk is."

„Dus als ik het goed begrijp…" Freek komt niet meer uit zijn woorden nu het ineens tot hem doordringt dat zich tussen hen een soort wonder aan het voltrekken is, waarvan hij het bestaan niet voor mogelijk had gehouden. Niet in staat om ook maar een woord uit te brengen legt Marijke haar hand in de zijne, terwijl zij hem ontroerd toeknikt. Vrijwel tegelijkertijd lijkt er daardoor in hun beider hart zo'n overweldigend gevoel van verbazing en vreugde los te breken, dat zij daarmee in eerste instantie nauwelijks raad weten.

„Dit is te gek voor woorden," stamelt Freek terwijl hij Marijke gebiologeerd blijft aanstaren omdat hij de realiteit van dit onvoorziene gebeuren nauwelijks kan bevatten. Even geeft hij Marijke de tijd om na hun zojuist gedane ontdekking enigszins tot zichzelf te komen. Dan vervolgt hij: „Als het inderdaad is gegaan zoals jij denkt dan moeten wij zo gauw mogelijk proberen via een DNA-test het bewijs daarvan in handen te krijgen."

„En mocht die positief uitvallen dan hoef jij ook niet langer je hoofd te breken over je afkomst," vult Marijke aan. „Dan valt er ook van mijn kant wel het een en ander te vertellen."

Totaal verbijsterd proberen beiden in de daaropvolgende minuten hun gedachten en gevoelens wat op orde te brengen. Maar voorlopig blijkt dat zo'n moeilijke opgave te zijn dat zij ten slotte besluiten om geen voortijdige conclusies te trekken. Wel willen ze direct stappen ondernemen om de waarheid over het bestaan van een eventuele bloedband tussen hen beiden boven tafel te krijgen.

„Tineke en Job zullen niet weten wat zij horen," bedenkt Freek opgewonden nadat hij Marijke heeft voorgesteld om ook hen in hun vermoedens te laten delen. „Ze hebben zo in deze kwestie met mij meegeleefd dat het niet eerlijk zou zijn onze bevindingen van het afgelopen uur voor onszelf te houden."

Maar Marijke heeft daar zo haar eigen gedachten over. „Weet je wat ik denk, Freek," probeert zij haar intuïtie te volgen, „dat Tineke en Job al eerder op het idee zijn gekomen dat onze levensverhalen op de een of andere manier iets met elkaar te maken zouden kunnen hebben. Vermoedelijk hebben zij dat niet openlijk tegenover ons durven uitspreken, maar nu snap ik ook waarom Tineke er zo op aandrong jou via een persoonlijke ontmoeting nog wat gegevens te verschaffen die voor de zaak waarmee je bezig was van belang zouden kunnen zijn."

„Ik krijg steeds sterker het gevoel dat wij de rol die zij hierin gespeeld heerft, niet kunnen onderschatten," merkt Freek geëmotioneerd op. „In de korte tijd dat ik bij je was Marijke, ben ik meer te weten gekomen dan ik ooit had durven dromen. En als het echt blijkt dat jij…" Op dat moment stokt zijn stem en grijpt hij met een bijna hartstochtelijk gebaar haar hand. Maar nadat hij die enkele ogenblikken in de zijne heeft gehouden, schudt hij opnieuw vertwijfeld zijn hoofd. „Dit is zo'n onbegrijpelijke samenloop van omstandigheden dat ik gewoon nog niet durf te geloven in het wonder waaraan jij en ik denken." Hij realiseert zich dat zijn onthullingen ook Marijke diep moeten hebben geschokt. „Sorry voor de emoties die ik ongewild bij je heb losgemaakt," verontschuldigt hij zich, kennelijk ongerust over de twijfelachtige gemoedstoestand waarin hij haar heeft gebracht. Maar daarover wil Marijke geen woord horen. „Jij moest gewoon je verhaal kwijt," verklaart zij, terwijl haar ogen Freek geen moment meer loslaten. „En het is logisch dat ik, toen dit naadloos bleek aan te sluiten bij mijn eigen ervaringen, het gevoel had alsof ik even van de wereld was. Maar zolang wij niets zeker weten zullen wij beiden de spanning de baas moeten blijven."

„Het is ook niet niks wat hier vanmiddag is gebeurd," merkt Freek nog op, nadat hij met schrik tot de ontdekking is gekomen dat het de hoogste tijd is geworden om op te stappen. Onwillekeurig overvalt hem een aarzeling. „Ik vind het bijna onverantwoord om je hier moederziel alleen in de grootste verwarring achter te laten, Marijke."

Maar zij kan hem geruststellen met de gedachte dat zij in ieder geval heeft geleerd om te blijven vertrouwen op het beleid van God, die met elk mens Zijn eigen weg gaat.

„Dat is voor mij een hele zorg minder," laat hij haar met een groeiend gevoel van genegenheid weten, „al zul je vanaf vandaag ook kunnen rekenen op mijn betrokkenheid bij de verdere gang van zaken in je leven. Eerlijk gezegd is er nu al een band met je ontstaan die niet meer valt weg te denken."

Marijke glimlacht een beetje weemoedig.

„Ook als het blijkt dat onze vermoedens nergens op slaan?"

Maar aan die mogelijkheid wil Freek liever niet denken.

„Ik ga er nog steeds van uit dat wij elkaar niet zomaar zijn tegengekomen," verklaart hij ernstig. „En al zouden wij ons hebben vergist, Marijke, dan nog heb ik aan mijn kennismaking met jou zo'n goed gevoel overgehouden dat ik je niet meer kwijt wil uit mijn leven. Jij bent in je benadering zo totaal anders dan mijn pleegmoeder, en daarom wil ik, wat er ook gebeurt, contact met je blijven houden."

Om die laatste woorden kracht bij te zetten neemt hij met een onverwacht gebaar haar gezicht tussen zijn handen om haar spontaan een kus op haar voorhoofd te geven.

„Bedankt!" voegt hij er met een soort jongensachtige verlegenheid aan toe, „mamma Marijke!"

Nog lang nadat hij is vertrokken blijven die laatste woorden in Marijkes hoofd naklinken. „Mamma Marijke..." Zo had hij haar genoemd. En zo zou zij er misschien in de toekomst nog voor hem en zijn gezinnetje kunnen zijn.

De klok terugdraaien was niet meer mogelijk, het verleden kon niet meer worden herroepen. Maar als Marijke alles wat Freek en zij die middag met elkaar hebben besproken in de schemering van de vallende avond nog eens de revue laat passeren, is er ten slotte nog maar één wens die zij in een bijna hartstochtelijk gebed aan God voorlegt: „Gun mij alstublieft de tijd om, als Freek werkelijk mijn kind is, nog wat van dit nieuwe geluk te mogen genieten. En als onze vermoedens ongegrond blijken te zijn, help mij dan om toch te blijven rekenen op Uw nooit aflatende liefde en zorg, zodat ik vanuit dat perspectief zal kunnen blijven leven."

15

Tineke heeft zich al enkele keren gerealiseerd dat zij haar belofte om gauw weer eens bij Bea langs te komen nog steeds niet heeft ingelost. Een praatje met Bea zal haar gedachten in ieder geval kunnen afleiden van Freeks bezoek aan Marijke, waarover zij toch wel in spanning zit.

Het lijkt haar het beste om direct vanuit de zaak maar even bij haar langs te gaan omdat zij weet dat ook Bea omstreeks die tijd net thuis in van haar werk.

Al meteen nadat zij, zo opgewekt mogelijk, bij haar is binnengestapt, merkt zij dat Bea inderdaad blij is met haar komst.

„Met jou kan ik tenslotte vrijuit praten over mijn privé-aangelegenheden," bekent zij nadat Tineke zich met een voldane zucht op de bank heeft geïnstalleerd.

„Het was vandaag zo druk op de zaak," verontschuldigt zij zich voor het gemak waarmee zij zich door Bea laat voorzien van een hapje en een drankje. Maar Bea lijkt haar excuus nauwelijks de moeite van het overdenken waard te vinden.

„Weet je dat ik echt aan dit bezoekje toe was?" vertrouwt zij Tineke met een voor haar ongewone openhartigheid toe. „Er is hier de laatste weken van alles gebeurd, maar ik had geen mens met wie ik daarover ook maar een woord kon wisselen."

„Je had mij toch kunnen bellen!" wijst Tineke haar quasi bestraffend terecht, „dan was ik wel eerder naar je toegekomen." Maar tegen die reactie heeft Bea toch haar bedenkingen. „Job en jij hebben al zo vaak op de meest ongelegen momenten voor ons klaar gestaan," werpt zij ietwat gegeneerd tegen, „en in wezen ging het dit keer niet om dringende zaken, dus heb ik maar geen moeite gedaan om de telefoon te pakken."

Onwillekeurig glijdt Tinekes blik onderzoekend over Bea's gezicht. „Je ziet er in ieder geval niet meer zo belabberd uit als de vorige keer dat ik bij je was," constateert zij voorzichtig. Een ogenblik lijkt zij niet goed te weten hoe zij verder moet reageren, maar na enkele seconden te hebben gezwegen informeert zij, zonder zich nog een ogenblik te bedenken: „Waren het nare dingen die je hebt meegemaakt of ging het om zaken die je misschien toch weer wat levensmoed hebben gegeven?"

Weifelend trekt Bea haar schouders op. „Ik denk dat het meer aan mij ligt, dan aan de dingen die gebeurd zijn," probeert zij haar belevenissen van de afgelopen weken te definiëren. „Het feit dat Ton nog steeds vastzit zou je bijvoorbeeld naar kunnen noemen, maar het wonderlijke is dat ik nu pas begin te merken hoeveel rustiger mijn bestaan daardoor is geworden. Ik hoef me tenslotte niet meer elke dag druk te maken over de stommiteiten die hij uithaalt."

„Hoe gaat het nu met hem?" Het is duidelijk dat Bea ernaar snakt daarover uitgebreid haar hart te kunnen luchten.

„Veel hoogte kan ik er nog niet van krijgen,"verzucht zij terwijl zij Tineke opnieuw de schaal met hartige hapjes voorhoudt. „Maar ik heb wel de indruk dat die hele kwestie hem toch iets heeft gedaan. Tijdens de bezoekuren kan ik in ieder geval op een normale manier met hem praten, terwijl dat thuis al lang niet meer het geval was."

„Ik neem aan dat je over die bezoekuren ook bepaalde afspraken hebt gemaakt met Peter?" probeert Tineke haar verder uit de tent te lokken. Bea knikt bevestigend. „Daar valt niet aan te ontkomen," antwoordt zij terwijl op hetzelfde ogenblik een nerveuze blos haar wangen kleurt.

„Lukt dat een beetje?" Bea geeft niet direct antwoord. Met een afwezige blik blijft zij een ogenblik voor zich uitstaren. „Tot op heden heeft Peter daarover niet moeilijk gedaan," bekent zij ten slotte aarzelend, „maar ik weet natuurlijk niet of hij zo meegaand blijft."

„Wees blij dat hij in ieder geval begrip voor jouw situatie weet op te brengen," voelt Tineke zich gedrongen het voor Peter op te nemen, „reken maar dat hij best snapt hoe ellendig

jij je voelt nu je Tons belangen niet langer zelf kunt behartigen. Tenslotte heb je er alles voor over gehad om hem weer
een beetje in het gareel te krijgen."

„Tja…" Dat is alles wat Bea daarop weet te zeggen. Maar na
een ogenblik te hebben gezwegen probeert zij Tineke aarzelend in haar gevoelens te laten delen. „Eerlijk gezegd ben ik
daarover de afgelopen weken toch nog eens gaan nadenken en
het wonderlijke is dat ik daardoor ook met andere ogen naar
mijzelf ben gaan kijken. Soms begrijp ik gewoon niet waarom
ik Ton zo lang welwillend tegemoet ben gekomen, want hij is
er geen haar beter door geworden."

„Reken maar dat dat voor Peter ook een probleem is
geweest." Als Tineke er na die veelzeggende opmerking bewust het zwijgen toe doet valt het haar op dat Bea er, in tegenstelling tot enkele weken daarvoor, geen behoefte meer aan
schijnt te hebben haar mening te weerleggen.

„Het is heel gek," verklaart deze ten slotte, zichtbaar geëmotioneerd, „ik heb mij nooit bij Peters aanpak willen neerleggen, maar nu merk ik aan de manier waarop Ton over hem
praat dat hij, achteraf gezien, zelfs respect voor diens houding
kan opbrengen. En dat is zo moeilijk te snappen als je weet
dat ik het nooit over mijn hart hebt kunnen verkrijgen om
mijn handen van die jongen af te trekken"

Net als Tineke op Bea's verdrietige constatering wil ingaan,
hoort zij het belsignaal van haar mobiele telefoon overgaan.
„Sorry," verontschuldigt zij zich terwijl zij het toestelletje uit
haar tas pakt, „dat moet een bekende zijn."

Als zij hoort wie haar gebeld heeft vergeet zij even alles om
zich heen. „Freek, jongen, wat goed dat je mij op deze manier
hebt weten te bereiken. Je hebt natuurlijk al een paar keer
tevergeefs naar ons huis gebeld."

Als hij haar laat weten dat dit inderdaad het geval is geweest,
kan zij haar nieuwsgierigheid nauwelijks meer bedwingen.
Maar omdat zij Bea buiten de kwestie wil houden, probeert zij
zich zo veel mogelijk op de vlakte te houden, hoewel dat maar

ten dele lukt. „Heeft Marijke je nog wat bruikbare informatieskunnen geven?"

„Wat dacht je daar zelf van, Tineke?" Freeks stem klinkt zo totaal anders dan tijdens het laatste gesprek dat zij met elkaar hebben gevoerd, dat zij geen verdere uitleg nodig heeft. Even lijkt het alsof zij ervoor terugschrikt om hem deelgenoot te maken van de gedachten die zij tot nog toe enkel met Job heeft durven delen. Maar dan besluit zij zich eerlijk tegenover hem uit te spreken.

„Diep in mijn hart had ik de hoop dat Marijke je aanwijzingen zou kunnen geven die voor jou totaal nieuw waren, maar juist daarom enorm belangrijk. Of heb ik dat mis?"

„Dus Job en jij hadden ook al het idee dat er een verband moest bestaan tussen haar levensverhaal en het mijne?"

„Het was Job en mij er vooral om te doen onze vermoedens bevestigd te krijgen, maar wel via jullie eigen bevindingen," bekent Tineke. „Dat heeft ons de afgelopen uren natuurlijk wel een bijna ondragelijke spanning bezorgd, maar wij wisten gewoon dat jouw bezoek aan Marijke op een regelrechte openbaring zou kunnen uitlopen en daarom hebben wij bewust aangestuurd op een persoonlijk gesprek tussen jullie beiden."

Aan de andere kant van de lijn blijft het een ogenblik stil. Dan probeert Freek haar duidelijk te maken wat er op dit moment in hem omgaat. „Ik heb nog steeds het gevoel dat ik droom, Tineke. Maar tegelijkertijd vraag ik mij af waarom het zo lang moest duren eer ik erachter kwam dat Marijke voor mij misschien veel meer dan een oppervlakkige kennis was. Als onze wegen zich niet op zo'n ongedachte manier hadden gekruist, zou ik dat nu nog niet hebben geweten."

„Op die vraag zul je waarschijnlijk nooit antwoord krijgen, Freek," meent Tineke, „maar probeer er in ieder geval van uit te gaan dat dit waarschijnlijk het juiste moment was voor deze bizarre ontknoping, al valt er natuurlijk nog niets met zekerheid te zeggen."

Als Tineke hem en passant meedeelt dat zij op dit moment bij Bea op bezoek is, brengt die mededeling hem even van z'n stuk. Maar nog geen minuut later is hij er weer helemaal bij met zijn gedachten. „Wil je haar laten weten dat ik Ton zo gauw mogelijk weer hoop te gaan opzoeken? En zeg haar dat het mij spijt dat ik de laatste weken zo weinig aandacht aan hem heb kunnen besteden."

„Een mens kan niet alles tegelijk, Freek," bepaalt Tineke hem bij de realiteit, „maar ik ben er zeker van dat het Ton geweldig goed zal doen als je probeert met hem in contact te blijven."

Bea, die zich tijdens het telefoongesprek met Freek bescheiden op een afstand heeft gehouden, lijkt enorm blij te zijn met Tinekes mededeling dat Freek beslist van plan is haar zoon binnen afzienbare tijd weer te gaan opzoeken.

„Ton accepteert Freek omdat hij zich waarschijnlijk nog altijd op een bepaalde manier met hem verbonden voelt," bepeinst zij terwijl zij Tineke een hoopvolle blik toewerpt. Maar die is nog zozeer onder de indruk van het nieuws dat zij zojuist van Freek over zijn gesprek met Marijke te horen heeft gekregen, dat die opmerking even aan haar aandacht ontsnapt.

Doordringend kijkt zij Bea aan. „Geloof jij ook dat er niets bij toeval gebeurt?" vraagt zij met klem. „Ik bedoel, dat alles wat je in het leven meemaakt een bedoeling heeft?"

Ietwat beduusd door Tinekes onverwachte vraag haalt Bea weifelend haar schouders op. „Misschien is dat wel zo, maar zolang die bedoeling een vraagteken voor je blijft schiet je met zo'n uitgangspunt weinig op. Ik denk dat jij nog steeds niet weet waarom jij nooit kinderen hebt gekregen terwijl ik niet begrijp waarom in ons gezin uitgerekend de aanwezigheid van Ton de hele zaak op zijn kop zette."

Omdat Tineke daarop ook niet zo een twee drie een zinnig antwoord weet te bedenken, blijven zij de daaropvolgende minuten zwijgend tegenover elkaar zitten. Totdat Bea opeens schoorvoetend bekent: „Door al die ellende met Ton heb ik toch het gevoel gekregen dat ik te tolerant voor hem ben geweest."

„Misschien dat je daardoor niet alleen een beter zicht op je zelf maar ook op Peters uitgangspunt hebt gekregen," reageert Tineke verrast, hoewel zij zich tegelijkertijd realiseert dat haar veronderstelling bij Bea wel eens helemaal verkeerd kan vallen. Tot haar verwondering gebeurt echter het tegendeel. Met betraande ogen knikt zij haar toe. „Ik hoop dat ik nog de kans krijg hem dat te laten merken. Er is in de afgelopen tijd zoveel mis gegaan tussen ons!"

Omdat Tineke ineens beseft dat zij haar opwinding over Freeks telefoontje ter wille van Bea's gemoedsgesteldheid toch nog maar even moet onderdrukken, weet zij niet veel anders te doen dan die laatste constatering met een veelzeggend knikje te bevestigen. Maar het volgende moment buigt zij zich vragend naar haar toe. „Je denkt toch niet dat Peter die breuk in jullie huwelijk ervaart als een opluchting?"

„Die indruk maakt hij op mij anders wel," verklaart Bea opvallend timide voor haar doen. „Ik heb juist het gevoel dat hij blij is met de rust die er in zijn leven is gekomen."

„Dat geloof je toch zelf niet!" Verontwaardigd kijkt Tineke haar aan. „Volgens mij probeert Peter zich tegenover jou groot te houden, maar ik weet zeker dat hij zich diep in zijn hart ellendig voelt. Hij is er toch helemaal de man niet naar om het in zijn eentje te rooien."

Ietwat verbitterd schudt Bea haar hoofd. „Misschien heeft hij dat net iets te laat bedacht. Als Peter het alleen niet aankan is dat zijn eigen schuld."

Maar met die constatering weigert Tineke genoegen te nemen. „Als jij je kop destijds niet in de wind had gegooid en de soepelheid had kunnen opbrengen om Peter zijn keiharde aanpak van jullie zoon te gunnen zou er, naar mijn gevoel, van die verwijdering tussen jullie nooit sprake zijn geweest. En dan zou hij er in ieder geval beter aan toe zijn geweest dan nu!"

Een dodelijk zwijgen is Bea's enige antwoord. Met een diepe

zucht komt zij er echter na enkele ogenblikken toch toe om te erkennen dat haar voortdurend gedram over hun verschil van inzicht Peter inderdaad te veel is geworden. „Maar de klok terug draaien kan niet meer," stelt zij vast. „Peter is hier uit eigen beweging weg gegaan en volgens mij is dat een beslissing geweest waarop hij niet zomaar terugkomt."

„Terwijl je dat misschien wel zou willen," peilt Tineke haar gevoelens. Maar Bea lijkt er nog niet aan toe te zijn die veronderstelling met een volmondig ja te beantwoorden.

„Ik denk wel dat het misschien goed zou zijn om, na alles wat er de laatste weken met Ton is gebeurd, nog eens met elkaar van gedachten te wisselen over onze eerdere meningsverschillen," aarzelt zij, „maar ik ben er bijna zeker van dat Peter daar geen behoefte meer aan heeft."

„Je zou het hem kunnen voorstellen." Hoewel Tineke het als een vrijblijvende mogelijkheid brengt, beseft Bea onmiddellijk dat dit inderdaad de meest voor de handliggende manier zou kunnen zijn om zich tenminste nog één keer tegenover Peter te kunnen uitspreken.

„Zou jij…" aarzelt zij. Maar nog voor zij de zin kan afmaken valt Tineke haar in de rede. „Dit is een kwestie tussen Peter en jou Bea, daar heb je mij niet bij nodig. Ik denk dat het beter is als jij hem zelf duidelijk probeert te maken dat je er behoefte aan hebt je hart nog eens tegenover hem te luchten."

Bea's gezicht betrekt. Daarom betoogt Tineke nog indringender: „Als je hem het gevoel weet te geven dat je er dit keer niet op uit bent om hem te overtuigen van je eigen gelijk, zal hij vast wel op je voorstel willen ingaan."

Even later neemt zij met een bemoedigend schouderklopje afscheid van Bea, in het besef dat haar bezoek in ieder geval zin heeft gehad.

Op weg naar huis begint de gedachte aan Freeks telefoontje haar weer te beheersen.

Je intuïtie heeft je niet bedrogen! lijkt een stem in haar hart te juichen. Je opzet is gelukt! Marijke en Freek zijn op een won-

189

derbaarlijke manier tot de ontdekking gekomen dat hun levensverhalen feilloos op elkaar aansluiten.

Eenmaal thuis kan zij bijna het moment van Jobs thuiskomst niet afwachten. Natuurlijk kan zij hem wel via zijn mobiele telefoon laten weten hoe Freeks bezoek aan Marijke is verlopen, maar graag zou ze zelf zijn reactie op het bijzondere nieuws willen zien.

Als zij een half uur later Jobs auto voor de deur ziet stoppen rent zij naar de gang om hem te verwelkomen. Even schrikt hij van de uitgelaten manier waarop zij hem begroet, maar als zij hem, struikelend over haar eigen woorden, duidelijk heeft gemaakt wat daarvan de oorzaak is, worden zijn ogen vochtig van ontroering.

„Het is niet te geloven!" Dat is alles wat hij aanvankelijk kan uitbrengen. Als hij zich echter steeds duidelijker begint te realiseren dat hier sprake is van een regelrecht wonder, kan hij zijn emoties nauwelijks meer de baas. „Dit moet van Boven zijn," stamelt hij terwijl hij Tineke volgt naar de huiskamer. „Heb je over deze kwestie al contact gezocht met Marijke?"

Tineke schudt ontkennend haar hoofd. „Toen ik daarstraks bij Bea op bezoek was heb ik alleen een telefoontje van Freek gehad. Volgens mij was hij nog helemaal in de war van de ontdekking die hij had gedaan."

„Dus je weet nog steeds niet hoe Marijke hierop heeft gereageerd?"

„Daar heb ik mee willen wachten tot jij thuis was," legt Tineke hem uit. „Ik denk dat jij beter de eerste kunt zijn die haar daarover belt, al zal zij nu wel hebben begrepen dat wij niet voor niets op die ontmoeting met Freek hebben aangedrongen."

Nog voor Job echter de telefoon heeft gepakt lijkt hij ineens te bedenken dat er ook nog een andere mogelijkheid is om aan de weet te komen hoe Marijke zich op dit moment voelt. Hij werpt een haastige blik op zijn horloge. „Wat denk je, kunnen we vanavond nog bij haar langs gaan? Volgens mij zal het

Marijke een zee van goed doen als zij in ieder geval met ons over haar ervaringen van de afgelopen middag kan praten."

„Dan moeten wij wel gelijk opstappen!" gaat Tineke verrast op zijn voorstel in. „Marijke woont tenslotte niet naast de deur. Maar dat betekent wel dat onze warme maaltijd van vanavond erbij inschiet." Voor Job lijkt dat onder deze omstandigheden echter van ondergeschikt belang te zijn. „Dan doen wij het dit keer maar met een broodje uit de automaat," bedenkt hij terwijl hij naar de gang loopt om zijn jas weer aan te trekken.

Als Tineke even later naast hem in de auto neerzakt en Job op het punt staat om weg te rijden, grijpt zij hem in een impuls bij de arm. „Ik heb nog steeds het gevoel dat de ontdekking die Marijke en Freek hebben gedaan aan het ongelofelijke grenst, Job! Hoe is het toch mogelijk dat zoiets geweldigs kan gebeuren!"

Maar Job lijkt daarover zo zijn eigen gedachten te hebben. „Deze ontknoping kun je weliswaar als een wonder beschouwen, maar toch geloof ik dat niet alleen de gebeurtenissen van de afgelopen tijd maar ook onze reactie daarop die zaak tot een oplossing hebben gebracht.

„Volgens jou bestaat er dus niet zoiets als toeval," stelt Tineke vast. „Precies!" antwoordt Job terwijl hij de auto start. „Ik ga er nog altijd van uit dat de mensen die je echt voor de verwezenlijking van je levensplan nodig hebt, precies op het juiste moment je pad zullen kruisen. Als ik destijds die overlijdensadvertentie niet onder ogen had gekregen zou geen haar op mijn hoofd eraan hebben gedacht om weer contact met Marijke te zoeken, terwijl Freek via Bea en Peter ons leven is binnengekomen."

Als zij, na een korte stop voor het opscharrelen van een belegd broodje, in de buurt van Marijkes huis zijn gekomen, wijst Tineke er Job lichtelijk bezorgd op dat het gebeurde Marijke zo kan hebben aangepakt dat zij misschien niet eens meer in staat is om nog bezoek te ontvangen.

„Dat merken wij gauw genoeg," stelt Job haar gerust, „maar zo'n vaart zal het niet lopen. Marijke zal eerder zielsgelukkig zijn om met ons over die schokkende ervaring van de afgelopen middag te kunnen praten."

Dat laatste blijkt inderdaad het geval te zijn. Als Marijke zich vrijwel direct na hun binnenkomst realiseert dat Tineke en Job al door Freek zijn ingelicht over de feiten die tijdens zijn bezoek aan het licht zijn gekomen, omhelst zij hen sprakeloos van blijdschap.

„Ik begon iets te vermoeden toen ik Freek de laatste keer belde," onthult Tineke haar als Job en zij Marijke uit voorzorg naar de bank hebben gedirigeerd en voor zichzelf een stoel hebben gepakt. „Nou ja, toen had ik natuurlijk geen rust meer en ben ik gelijk op onderzoek uitgegaan." Hoewel Marijke toegeeft dat de DNA-test nog voor de bevestiging moet zorgen, geeft een glans van geluk haar vermagerde gezicht een geheel nieuwe uitdrukking. Maar over die bewuste test blijkt zij inmiddels minder bezorgd te zijn dan aanvankelijk het geval was.

„Na Freeks vertrek ben ik de zaken nog eens voor mijzelf op een rijtje gaan zetten," vertrouwt zij Tineke en Job toe, „en ineens herinnerde ik mij weer dat ik me, toen ik hem bij jullie thuis voor het eerst ontmoette, gelijk heel vertrouwd met hem voelde. En tijdens ons gesprek van de afgelopen middag werd ik mij daarvan steeds sterker bewust, al heb ik wel geprobeerd mijn verstand erbij te houden."

„Dat is maar goed ook," mengt nu ook Job zich weer in het gesprek, „want zolang je geen bewijs hebt dat Freek inderdaad je doodgewaande zoon is, kan elke illusie die je je daarover maakt op een regelrechte teleurstelling uitlopen. Maar voor Freek en jou hoop ik dat er in dit geval geen vergissing mogelijk is."

„Morgen komen Betty en Freek samen naar mij toe," laat Marijke hun met een gelukkige glimlach weten. „Het is zo'n vreemd idee dat ik misschien toch op een bepaalde manier mag gaan delen in hun leven, tenminste..."

Even stokt haar stem maar dan laat zij Tineke en Job aarzelend weten dat zij de laatste tijd steeds sterker het gevoel heeft gekregen dat het met haar ziekte wel eens de verkeerde kant zou kunnen uitgaan. „Misschien krijg ik niet eens de kans meer om hen wat beter te leren kennen," verzucht zij terwijl nu toch weer een soort spanning zich van haar meester maakt, „en hun kindje al helemaal niet."

Meelevend legt Job zijn hand op haar arm. „De verkeerde kant kan het met je ziekte nooit opgaan Marijke, misschien wel een andere kant, al willen Tineke en ik daar absoluut nog niet aan denken. Herinner je je nog wel dat wij op je laatste verjaardag met elkaar hebben stilgestaan bij het feit dat er een hand is die je, ongeacht welke kant het met je leven opgaat, nooit loslaat?"

„Jawel, maar net nu mijn bestaan een hele nieuwe inhoud lijkt te krijgen wil ik die andere kant niet op," verzet Marijke zich tegen zijn gedachtegang. „Ik wil gewoon verder leven om onbekommerd van dit nieuwe geluk te kunnen genieten."

Omdat Job merkt dat er zich, al pratend, een zekere spanning van haar meester heeft gemaakt, gooit hij het gesprek wijselijk over een andere boeg. De feiten die Marijke de afgelopen uren te verwerken heeft gekregen zijn blijkbaar zo ingrijpend voor haar geweest, dat zij gewoon tijd nodig heeft om haar balans te hervinden. In ieder geval is het hem wel duidelijk dat Tineke en hij haar met dit bliksembezoekje een groot plezier hebben gedaan. Als zij een klein uur later aanstalten maken om weer op te stappen, heeft Marijke het er moeilijker mee dan zij van haar gewend zijn. „Jullie betrokkenheid bij deze kwestie betekent zoveel voor me," verzekert zij hen met tranen in de ogen, „en het geeft mij zo'n fijn gevoel dat ik er met jullie openlijk over heb kunnen praten! Ik weet nu tenminste bij wie ik terechtkan als Freek en ik ons misschien toch op de feiten hebben verkeken."

„Als dat inderdaad zo blijkt te zijn dan zal het contact tussen jullie daar heus niet onder gaan lijden," weet Job haar echter te verzekeren. „Daarvoor hebben jullie inmiddels al te veel met elkaar meegemaakt. Zo'n ontmoeting als vanmiddag schept toch een band die zich niet meer laat verbreken"

Met die geruststellende woorden beëindigen Tineke en hij hun bezoek aan Marijke, hoewel het hun bezwaart dat zij haar weer zo alleen moeten achterlaten. Ook tijdens de terugrit blijven zij zich afvragen hoe deze geschiedenis voor Freek en haar zal uitpakken.

„Marijkes gezicht is weer smaller geworden sinds de laatste keer dat ik haar zag," merkt Tineke op.

„Tja…" Van terzijde knikt hij haar toe. „Wat wil je? Het is geen onschuldige ziekte waaraan zij lijdt."

Nadat Tineke er een ogenblik het zwijgen toe heeft gedaan merkt zij bijna hartstochtelijk op: „Ik hoop toch zo dat die band tussen Freek en haar niet op verbeelding berust!"

„De wonderen zijn de wereld nog niet uit, Tineke," verzekert Job haar. „En voor je het weet ben je bij zo'n wonder betrokken." Hij mindert vaart omdat hun woonplaats al weer in zicht is gekomen. „Naar mijn gevoel is het ook goed geweest dat jij kort geleden hebt gedaan wat je hart je ingaf door Marijkes broer te gaan opzoeken. Dat heeft in deze kwestie toch de doorslag gegeven."

„Neem maar van mij aan dat ik die gang met lood in mijn schoenen heb gemaakt," huivert Tineke als zij terugdenkt aan dat ontmoedigende bezoek. „Maar de uitkomst daarvan is totnogtoe meer dan de moeite waard geweest!" benadrukt Job terwijl hij haar een dankbare blik toewerpt.

16

Het is enkele weken later als Tineke, die op dat moment alleen thuis is, het verlossende telefoontje van Freek krijgt waarin hij haar vertelt dat nadere onderzoeken inderdaad hebben bevestigd dat hij Marijkes zoon is.

Tot haar verwondering mist zijn stem echter het enthousiasme dat zij daarin zou hebben verwacht.

„Ben je niet dolblij dat deze kwestie voor jullie beiden op zo'n verrassende manier tot een oplossing is gekomen?" informeert zij verbaasd, omdat zij er geen idee van heeft waarom Freek haar niet wat uitbundiger van dat geweldige nieuws op de hoogte brengt.

„Natuurlijk ben ik blij en Marijke niet minder," geeft hij toe. „Jammergenoeg heeft zij zich maar heel kort over dat feit kunnen verheugen. Vrij onverwachts is de druk in haar hoofd zozeer toegenomen dat het voor haar niet verantwoord was langer thuis te blijven. Sinds een paar uur ligt zij dus in het ziekenhuis."

„Hoe is het mogelijk!" Dat is alles wat Tineke in eerste instantie weet uit te brengen. Maar na een ogenblik te hebben gezwegen vervolgt zij duidelijk geschrokken: „Een paar dagen geleden heb ik nog telefonisch contact met haar gehad en toen leek er niets verontrustends aan de hand te zijn."

„Dat was ook zo maar haar ziekte is natuurlijk de afgelopen maanden wel een feit gebleven en heeft nu volgens mij een vrij zorgelijke wending genomen."

„Misschien gaat het om een tijdelijke inzinking," probeert Tineke hem wat op te monteren.

Maar daarover blijkt Freek toch anders denken. „Toen de ziekenhuisarts begreep dat ik haar zoon was ried hij mij aan de komende dagen zo dicht mogelijk bij haar in de buurt te blijven."

„Marijkes toestand is dus wat je noemt kritiek geworden?"

Bijna ademloos heeft Tineke die cruciale vraag gesteld. Freeks antwoord laat daarover weinig twijfel bestaan.

„Ik denk dat wij daar wel van moeten uitgaan, Tineke."

Even valt er een soort angstige stilte tussen hen. Dan laat Freek haar weten dat hij na overleg met Marijkes arts heeft besloten in het huis waar hij werkt een kamer voor haar te reserveren. „Daar kunnen wij haar in ieder geval alle aandacht geven," stelt hij met een verdrietige zucht vast.

Nadat Tineke hem heeft verzekerd dat Job en zij Marijke zo gauw mogelijk zullen komen opzoeken, valt er voor hun gevoel weinig meer te zeggen.

Het enige wat Freek nog aan haar kwijt wil is dat zijn adoptiefmoeder voorlopig alle contact met Betty en hem heeft verbroken. „Direct nadat ik zeker wist dat Marijke mijn biologische moeder was ben ik haar dat persoonlijk gaan vertellen," onthult hij haar merkbaar aangeslagen. „Maar zij was woedend en absoluut niet meer voor rede vatbaar toen zij hoorde dat ik al weken bezig was geweest om een nader onderzoek naar mijn werkelijke afkomst in te stellen. Volgens haar getuigde dat van een verregaande ondankbaarheid ten opzichte van haar en haar overleden man. Daarom gaf zij mij domweg te verstaan dat Betty en ik definitief voor haar hadden afgedaan!"

„Dat moet een pijnlijke ervaring voor je zijn geweest," probeert Tineke zich in zijn gevoelens te verplaatsen. „Maar te zijner tijd zal je pleegmoeder wel tot de ontdekking komen dat zij zichzelf daardoor veel geluk heeft ontzegd."

Tot haar opluchting blijkt ook Freek er zo over te denken.

„Ik ken haar toch, Tineke! Ik weet dat als ze weer wat bij haar positieven is gekomen, spijt krijgt van haar impulsieve gedrag en dan zullen Betty en ik haar heus niet uit ons leven blijven weren. Tenslotte heb ik het aan haar en haar man te danken dat ik als kind in ieder geval een redelijk gelukkige jeugd heb gehad."

„Je bent een kei, Freek!" is alles wat Tineke nog weet te zeggen, maar aan de bewogen manier waarop die woorden eruit komen merkt hij dat ze van harte zijn gemeend.

Vanzelfsprekend brengt Tineke die avond Job onmiddellijk op de hoogte van het verheugende nieuws inzake de verhouding tussen Freek en Marijke, terwijl zij hem tegelijkertijd moet vertellen dat het met Marijke niet goed gaat. Het is Job aan te zien dat hij er moeite mee heeft die totaal van elkaar verschillende gebeurtenissen direct te verwerken.

„Moet ik uit jouw verhaal opmaken dat Marijke maar een paar uur van het geluk dat haar jarenlang is ontzegd, heeft kunnen genieten?"

„Volgens Freek wel," verzucht Tineke terwijl zij een glas wijn voor hen beiden inschenkt. „Hij was niet bepaald optimistisch over haar toestand. En als hij dat zegt moet je wel aannemen dat het zo is. Daarom heeft hij het voor elkaar gekregen om zelf de verdere zorg voor haar op zich te nemen."

„Je bedoelt in dat huis waar hij werkt?" Tineke knikt bevestigend. „Er was net een kamer vrij gekomen, dus ik denk dat hij die inmiddels al voor haar heeft klaargemaakt."

„Wat een toestand!"

Nog steeds lukt het Job niet zich een beeld te vormen van de werkelijkheid waarmee Tineke hem heeft geconfronteerd.

„Toen wij de laatste keer bij Marijke waren leek zij aardig met haar ziekte te kunnen leven," bepeinst hij, „maar zo'n proces kan natuurlijk een onverwachte keer nemen, en dat gebeurt voor haar wel op een heel ongelegen moment."

„Wij moeten haar maar zo gauw mogelijk gaan opzoeken," bedenkt Tineke. „Freek heeft wel beloofd ons telefonisch op de hoogte te houden van haar toestand, maar ik heb toch het gevoel dat het haar goed zal doen als wij zelf bij haar langs gaan."

„Ik hoop dat deze inzinking geen aanslag heeft gedaan op Marijkes vechtlust," probeert Job zijn groeiende onrust de baas te blijven. „Tot nog toe heeft zij zich zo dapper verzet tegen de symptomen van haar ziekte."

In de loop van de avond kan hij echter toch niet nalaten om nog even telefonisch contact met Freek op te nemen om van hemzelf te horen hoe de zaken er precies voorstaan. Als deze hem laat weten dat Marijkes toestand nog onveranderd is, geeft hij hem voor alle zekerheid het adres van haar broer door. Maar dat blijkt Freek al via de administratie van het ziekenhuis te hebben gekregen, zodat hij inmiddels ook haar naaste familie heeft kunnen waarschuwen.

„Heb je die luitjes ook verteld waarom je Marijke liever niet in het ziekenhuis wilde laten?" informeert hij aarzelend, omdat hij er niet helemaal zeker van is of hij hem die vraag onder deze omstandigheden wel kan stellen.

„Nee." Freeks stem klinkt nu heel beslist. „Dat komt nog wel. Zulke mededelingen zijn naar mijn gevoel te belangrijk om per telefoon af te handelen."

Na hem de nodige sterkte te hebben gewenst beëindigt Job het gesprek. Maar echt rust heeft hij niet meer. Daarom trekt hij er al de volgende dag tijd voor uit om met Tineke het beloofde bezoek aan Marijke te gaan brengen.

Gelukkig lijkt zij er, volgens Freek, iets beter aan toe te zijn dan aanvankelijk het geval was, maar bepaald optimistisch is hij niet over haar toestand.

„Ik heb er wel moeite mee om deze onbegrijpelijke gang van zaken te accepteren," legt hij hun tamelijk terneergeslagen uit. „Juist nu er voor ons een heel nieuw begin leek te komen neemt haar ziekte zo'n fatale keer. Misschien hebben wij niet eens de tijd meer om elkaar wat beter te leren kennen."

Zowel Job als Tineke begrijpen hoe ontgoocheld hij zich op dit moment moet voelen. Daarom doen zij ook geen moeite om zich tegen zijn vermoeden te verzetten. Wel meent Job nog voorzichtig op te moeten merken dat het waarom van dit gebeuren in ieder geval bij God bekend is.

Maar dit keer lijken zijn woorden Freek nauwelijks te raken. „Wat heb ik aan die wetenschap?" werpt hij ongeduldig tegen, „dat verandert toch niets aan Marijkes toestand? Net nu wij elkaar hebben gevonden lijkt er van alles mis te gaan. Je zou bijna denken dat dit nieuwe geluk ons niet is gegund."

Een uurtje later aanvaarden Job en Tineke de thuisreis zonder ook maar een woord met Marijke te hebben gewisseld. Toch is juist zij het die, zonder het te beseffen, Freek weer tot rede weet te brengen. Als er later op de dag tot zijn niet geringe opluchting sprake is van een tijdelijke opleving, lijkt zij geleidelijk aan ook te gaan begrijpen wat er in de afgelopen uren met haar is gebeurd.

„Ik wist dat dit moment zou komen," laat zij hem, moeizaam zoekend naar de juiste woorden, weten. „Maar dat jij er bent maakt alles goed!"

„Waarom het zolang heeft moeten duren voor wij elkaar vonden is mij nog steeds een raadsel," kan Freek niet nalaten op te merken.

Met een voorzichtige beweging tast Marijke naar zijn hand. „Het verleden heeft ons veel geleerd," probeert zij Freek moeizaam deelgenoot te maken van haar gevoelens, „en sterk gemaakt."

„Maar als ik je eerder was tegengekomen zou mijn leven er anders hebben uitgezien." De vertwijfeling die in Freeks stem doorklinkt spreekt voor zich. „Het waarom van de gang die God met ons ging blijft zijn geheim," fluistert Marijke hem toe, terwijl haar ogen de zijne geen moment meer loslaten, „maar dit was voor Hem de tijd om de losse puzzelstukjes in ons leven op hun plaats te laten vallen. En dat geeft mij zo'n wonderlijk gevoel van veiligheid!" Aan de glans in haar ogen merkt Freek dat zij meent wat zij zegt.

„Je blijft gewoon bij ons zolang het nodig is," verzekert hij haar, „en reken er maar op dat wij er alles aan zullen doen om het hier zo dragelijk mogelijk voor je te maken." Met een dankbare zucht laat Marijke zich terugzakken in de kussens. Maar haar ogen blijven Freek, die inmiddels naar de deur is gelopen, volgen. „Mijn zoon…" prevelt zij onhoorbaar voor zich heen, „je bent het echt!"

Als Job en Tineke nog geen week later Marijke opnieuw een bezoekje komen brengen blijkt zij echter harder achteruit te zijn gegaan dan zij hadden verwacht. Pijn heeft zij weliswaar niet, maar het is duidelijk dat het moeilijker is geworden om contact met haar te krijgen. Daarom proberen beiden zonder veel te zeggen haar te laten blijken dat ze er voor haar zijn.

Freek hebben zij jammer genoeg nog niet gezien, maar via de dienstdoende verpleegkundige komen zij er achter dat hij in de voormiddag, na een telefoontje van zijn vrouw, is vertrokken.

Als zij na een half uurtje afscheid nemen van Marijke houdt Tineke haar hand langer vast dan anders. „Bedankt voor je vriendschap, Marijke, ook voor mij is die zoveel gaan betekenen." Dat is alles wat zij nog met een brok in haar keel weet uit te brengen. Nooit eerder hebben zij Marijke immers in zo'n kwetsbare toestand aangetroffen, terwijl er tegelijkertijd een onverklaarbare rust van haar uitgaat. Als zij ten slotte samen met Job de kamer verlaat kan zij nauwelijks haar tranen bedwingen.

„Ik denk niet dat wij haar nog lang bij ons zullen hebben," verzucht hij zichtbaar aangeslagen. Voor ze in de auto stappen lopen ze door naar Freeks woonhuis, dat een paar honderd meter verderop ligt. Zij willen nog even Betty groeten en haar sterkte wensen voor de komende tijd in verband met haar op handen zijnde bevalling. Maar als zij hebben aangebeld blijft in het eenvoudige rijtjeshuis alles stil en wordt er niet open gedaan. Enigszins teleurgesteld zoeken zij ten slotte toch maar hun auto op. „Jammer dat wij hen geen van beiden hebben gesproken," kan Tineke niet nalaten haar bevreemding te uiten als Job het portier voor haar heeft geopend. „Freek wist dat wij Marijke vandaag zouden gaan opzoeken."

Maar als Job even later de auto start lijkt hij zich ineens te bedenken. „Misschien doen wij er toch beter aan om een briefje voor hen achter te laten."

Op hetzelfde ogenblik trekt Tineke hem echter plotseling aan de mouw.

„Ik geloof dat hij er net aankomt, Job. Er stopt tenminste een auto voor zijn huis en als ik mij niet vergis is dat de zijne."

Inderdaad blijkt het Freek te zijn die even later uitstapt en enigszins gehaast de wagen afsluit. Impulsief drukt Tineke op de claxon om hem, nog voor hij zijn huis binnengaat, op hun aanwezigheid attent te maken. Verbaasd keert hij zich om. Maar als het tot hem doordringt dat Tineke en Job, die inmiddels ook weer zijn uitgestapt, de herriemakers zijn, ontspant zijn gezicht zich als bij toverslag en loopt hij met een stralende lach op hen toe. „Het is gebeurd!" roept hij opgewonden, nog voor zij elkaar hebben bereikt, „Betty en ik hebben een dochter gekregen en de bevalling is prima verlopen!"

„Dus daarom was je er niet vanmiddag!" In een opwelling omhelst Tineke hem zo hartelijk dat hij zich een ogenblik overweldigd voelt door haar spontaniteit.

„Wij zijn zo blij voor je, Freek," verzekert zij hem aangedaan. „Voor mijn gevoel blijft de komst van zo'n kindje een wonder waarvoor je niet dankbaar genoeg kunt zijn."

Ook Job knikt Freek met een warme glans in zijn ogen toe. „Proficiat jongen, wees ervan verzekerd dat wij je dit geluk van harte gunnen!"

Hoewel Freek hun voorstelt om nog even mee naar binnen te komen, slaan zij die uitnodiging tactvol af. „Jij hebt nu wel wat anders aan je hoofd!" veronderstelt Job begrijpend. „Maar misschien wil je ons voor wij vertrekken nog wel even vertellen hoe het het er met Marijke voorstaat. Wij kregen de indruk dat zij de afgelopen week hard achteruit is gegaan."

Freeks gezicht versombert. „Eerlijk gezegd overschaduwt dat wel ons geluk. Alles wat wij nog voor haar kunnen doen is haar het gevoel geven dat zij voor ons op een heel bijzondere manier betekenis heeft gekregen en dat zij in de tijd die haar nog is gegund, optimaal op ons zal kunnen rekenen. Als iemand dat heeft verdiend is het wel Marijke!"

Vertwijfeld schudt Tineke haar hoofd. „Ik kan nog steeds niet geloven dat haar ziekte zo'n definitieve keer heeft genomen." Maar daarover laat Freek geen enkele twijfel bestaan. „Voor mij is deze onverwachte verslechtering van haar toestand ook een tegenvaller, Tineke," verzucht hij. „Vergeet niet dat ik erop had gehoopt om samen met haar nog een stukje toekomst te mogen beleven, maar die illusie is mij inmiddels ontnomen. Ik heb zelfs de kans niet gekregen om iets meer te weten te komen over de manier waarop zij de afgelopen jaren in het leven heeft gestaan."

„Dat moet inderdaad heel zwaar voor je zijn, Freek." De meelevende blik die Job hem toewerpt spreekt voor zich. Het volgende ogenblik legt hij met een bemoedigend gebaar zijn hand op Freeks schouder. „Probeer je verdriet daarover even los te laten, jongen! Jouw aandacht moet nu in de eerste plaats uitgaan naar je vrouw en je kind."

„Die zijn tenslotte voor je toekomstig geluk van levensbelang," valt Tineke hem bij. Voor Freek echter kan antwoorden merkt hij dat iemand zijn 06-nummer heeft gebeld.

„Ik houd jullie wel op de hoogte van het een en ander," kapt hij het gesprek daarom af terwijl hij het toestelletje uit zijn binnenzak opdiept. En dat is voor Tineke en Job het sein om na een hartelijke groet opnieuw hun auto op te zoeken.

Onderweg naar huis lijken zij er geen van beiden behoefte aan te hebben om veel te praten. Pas tegen het einde van de rit komt Tineke ertoe hardop haar gedachten te uiten. „Volgens mij moet deze samenloop van omstandigheden Freek een heel dubbel gevoel geven," merkt zij terneergeslagen op. „De geboorte van zijn dochter is natuurlijk geweldig, maar het lijkt mij voor hem heel frustrerend om zich tegelijkertijd bezig te moeten houden met het feit dat Marijke niet lang meer te leven heeft. En het meest trieste vind ik nog dat zij niet eens de gelegenheid hebben gekregen om in alle rust naar elkaar toe te groeien." Jobs gezicht versombert.

„Ik denk dat Freek als het erop aankomt zich toch wel met die onbegrijpelijke gang van zaken zal weten te verzoenen," veronderstelt hij hoopvol. Met die laatste constatering blijkt Tineke echter toch de nodige moeite te hebben. „Hij is geen supermens, Job! Vergeet niet dat die jongen de afgelopen weken zoveel emoties te verwerken heeft gehad, dat het hem langzamerhand moet duizelen."

Hoewel Job haar bezorgdheid begrijpt verandert hij niet van mening. „Ik heb het idee dat Freek, net als wij, diep in zijn hart toch niet los zal kunnen komen van het besef dat alles in het leven gaat zoals het moet gaan. De moeilijkheden die je soms te verwerken krijgt scheppen vaak op een heel ongedachte manier nieuwe mogelijkheden om zinvol verder te kunnen leven."

Wat onzeker haalt Tineke haar schouders op. „Ik hoop voor Freek dat je gelijk hebt."

Eenmaal thuis lijken zij maar moeilijk hun draai te kunnen vinden. Op de een of andere manier blijven hun gedachten constant uitgaan naar Marijke, terwijl zij zich tegelijkertijd afvragen hoe het voor Betty en Freek moet zijn om de blijdschap over de komst van hun eerste kind overschaduwd te weten door het feit dat Marijke niet lang meer bij hen zal zijn. Want van dat laatste zijn zij na het bezoek dat zij haar hebben gebracht absoluut overtuigd geraakt.

Het waarschuwende telefoontje dat zij tegen het einde van de week van Freek krijgen overvalt hen dus niet.

„Ik heb het gevoel dat Marijke jullie toch nog iets duidelijk wil maken," laat hij Job weten. „Is het mogelijk vandaag nog naar haar toe te komen?"

Daarover hoeft Job geen ogenblik na te denken. „Wij stappen gelijk in de auto," verzekert hij Freek. „Eerlijk gezegd hadden wij er al half en half rekening mee gehouden dat dit binnenkort zou gebeuren." Om geen tijd te verliezen houdt hij het gesprek zo kort mogelijk.

Als zij er na een snelle rit in slagen nog binnen het uur op de plaats van bestemming te zijn, is het Freek zelf die hen opvangt. Tot hun opluchting verzekert hij hen dat Marijke nog wel aanspreekbaar is. Maar volgens hem is dat het gevolg van de medicijnen die haar op eigen verzoek zijn toegediend. „Ze doen nog wel even hun werk maar niet lang meer," voegt hij er voor alle duidelijkheid aan toe.

Nadat Tineke en Job met een loodzwaar hart Marijkes kamer zijn binnengestapt en haar in alle rust hebben begroet, blijkt Freek een verrassing voor hen in petto te hebben. „Betty komt zo dadelijk ook," laat hij Tineke en Job weten. „Met de baby," vult Marijke aan terwijl zij met een glimlach haar hand in de zijne legt.

Verrast kijken Tineke en Job haar aan. „Is dat je eerste kennismaking met je kleindochter, Marijke?" informeert Job belangstellend. Juist als zij bevestigend knikt gaat de kamerdeur open en verschijnt Betty met haar kindje op de arm in de deuropening. De moederlijke blik in haar ogen bezorgt Tineke even een gevoel van ontroering.

Het volgende ogenblik trekken Job en zij zich bescheiden op de achtergrond terug om Marijke de gelegenheid te geven alles uit dit kostbare moment te halen wat er nog voor haar inzit.

Als haar ogen minutenlang het kindergezichtje aftasten dat Betty met een liefdevol gebaar naar haar toewendt, lijkt er een vraag op haar lippen te branden.

„Wat is haar naam?" Vragend glijdt haar blik in Freeks richting.

Deze knikt haar ontroerd toe. „Dat hebben wij nog even voor je geheim gehouden, mamma Marijke," laat hij haar dan bewogen weten, „wij hebben namelijk besloten om ons kindje naar jou te vernoemen. Marijke heet zij, want die naam is ons meer dan welke andere ook de afgelopen weken het meest dierbaar geworden."

Even lijkt er een schok door Marijke heen te gaan. „Dit is zo groots..." stamelt zij dan met tranen in de ogen, „zo overweldigend..."

Ook Tineke en Job voelen feilloos aan hoeveel het voor Marijke betekent dat door dit kindje haar naam in Freeks gezinnetje een begrip zal blijven.

Het volgende ogenblik gebeurt er wat Marijke voor hun gevoel al eerder bedacht heeft, zonder er met hen over te praten. Met een enkel handgebaar wenkt zij Tineke en Job om wat dichterbij te komen. „Jullie horen hierbij," maakt zij hun met alle kracht waarover zij nog beschikt duidelijk. Terwijl zij even stil valt omdat het spreken haar toch wel de nodige inspanning kost, voegt zij er echter vlak daarna fluisterend aan toe: „Ik kan weinig meer voor dit kindje doen, maar bij jullie zal er voor haar nog zoveel liefde te vinden zijn."

Op dat moment breekt bij Tineke de spanning die zich het laatste half uur in haar heeft opgehoopt. Terwijl de tranen over haar wangen stromen snikt zij opstandig: „Je moet het kunnen, Marijke! Jij moet bij ons blijven! Ik wil niet dat je zo denkt."

Het is Job die op dat moment, diep onder de indruk van de moed waarmee Marijke de realiteit van haar ziekte heeft aanvaard, zijn hand op Tinekes schouder legt. „Marijke heeft er echt alles aan gedaan om zo lang mogelijk bij ons te kunnen blijven, meisje," probeert hij haar tot kalmte te manen, „maar nu zij het feit onder ogen heeft durven zien dat de toekomst voor haar een andere invulling zal krijgen dan zij had gehoopt, mogen wij haar niet belasten met onze eigen gevoelens van verdriet en verweer." Marijke werpt hem een dankbare blik toe. „Zo'n rust... als jullie er voor hen zullen zijn."

Pas nu lijkt het tot Tineke door te dringen waarom Marijke hun heeft gevraagd vandaag nog bij haar langs te komen. Op de een of andere manier moet zij hebben voorvoeld dat dit nog haar enige kans was om zich te overtuigen van hun bereidheid om straks in haar plaats Freek en zijn gezinnetje voorgoed in hun hart te sluiten.

Terwijl Marijkes blik hen geen moment loslaat buigt Job zich naar haar toe.

„Die rust gunnen wij je van harte, meisje." De warmte waarmee Job het zegt bevestigt zijn antwoord. „De afgelopen tijd zijn wij ons immers steeds meer met hen verbonden gaan voelen." Tineke knikt bevestigend. „En daarom willen wij niets liever dan in hun leven blijven delen."

„Dan is het goed." Terwijl Betty haar kindje met een veelzeggend gebaar in Tinekes armen legt sluit Marijke uitgeput haar ogen. Het lijkt alsof zij het gevoel heeft haar laatste taak te hebben volbracht, want vanaf dat moment is een gesprek met haar nauwelijks meer mogelijk. Pas als Tineke en Job op het punt staan afscheid te nemen probeert zij nog één keer woorden te vinden voor wat haar zo bezighoudt.

„Een wonder," fluistert zij, „ik dacht dat ik om beterschap moest bidden, maar God gaf iets veel mooiers... ik kreeg mijn kind terug... en jullie liefde zal hem rijker maken dan hij ooit is geweest."

Dat zijn de laatste woorden die Tineke en Job van haar te horen krijgen, want als zij een uur later doodmoe van alle emoties thuis weer op verhaal proberen te komen gaat de telefoon. Het blijkt Freek te zijn die hun laat weten dat Marijke zojuist rustig is heengegaan.

„Zij heeft het geweten," stelt Tineke diep onder de indruk vast als Job en zij een ogenblik later op de bank zijn neergezakt om het zojuist gehoord nieuws te verwerken.

„Daarom wilde ze ons vandaag per se nog bij zich hebben."

Job, die dat zonder meer kan beamen, realiseert zich nu pas hoeveel de vriendschap met Marijke voor Tineke en hem heeft betekend. En... hoeveel moois daaruit ook met het oog op de toekomst is voortgekomen. Want één ding weet hij zeker: dat het waarmaken van de belofte die Tineke en hij Marijke hebben gedaan hun leven wel degelijk zal gaan beïnvloeden. Maar... ook hun geluk op een heel speciale manier zal verdiepen.

17

Marijkes begrafenis beperkt zich tot een eenvoudige plechtigheid. Het handjevol familieleden en de enkele oud-collega's die aanwezig zijn hebben er geen idee van dat Freek en Betty haar niet alleen beroepshalve de laatste eer willen bewijzen. Alleen Tineke en Job beseffen met welke gemengde gevoelen die twee jonge mensen deze uitvaart beleven. Om geen onnodige ophef te veroorzaken hebben zij besloten voorlopig geen ruchtbaarheid te geven aan de feiten die nog maar zo kort geleden aan het licht zijn gekomen. In de komende maanden zal zich daarvoor nog wel een gelegenheid aandienen.

Dat Freek en Betty maar al te graag willen blijven rekenen met Marijkes verlangen om de band met Tineke en Job in geen geval te laten verslappen, blijkt als enkele weken later hun kindje zal worden gedoopt.

Heel voorzichtig proberen zij tijdens een bezoekje Tinekes gevoelens af te tasten in verband met een beroep dat zij op haar willen doen om eventueel medewerking aan die dienst te verlenen.

„Veel familieleden van mijn kant zullen er die morgen niet zijn," legt Betty haar uit, „de meesten wonen daarvoor te ver weg en mijn moeder zal, als zij er is, het liefst zo ver mogelijk op de achtergrond willen blijven omdat zij al jaren geleden met de kerk heeft afgerekend."

„Wat denk je dan dat ik voor je kan doen?" Als vanzelfsprekend gaat Tineke in op haar voorstel om er die morgen daadwerkelijk voor Freek en haar te zijn.

Betty's antwoord echter overrompelt haar.

„Je voor en na de doop over Marijke ontfermen en haar voor het gebeuren zelf de kerk binnendragen."

„Ik?" Alle kleur is uit Tinekes gezicht geweken. Als om hulpzoekend glijdt haar blik in Jobs richting. Maar die knikt haar bemoedigend toe. „Dat moet toch kunnen, Tineke?"

„Jawel…" geeft zij met trillende stem toe, „maar ik ben bang dat ik daarvoor niet de geschikte persoon ben. Je loopt daar met zo'n kindje in je armen alsof je dat vaker hebt gedaan, maar vergeet niet dat een dergelijke ervaring totaal nieuw voor mij is."

Onderzoekend kijkt Freek haar aan. „Ben je bang dat het te veel emoties bij je oproept?" Hij ziet dat zij moeite doet haar tranen weg te slikken. „Ja," geeft zij dan ruiterlijk toe, „ik denk dat jullie beter iemand kunnen vragen die weet hoe het voelt om zo'n gebeuren op die manier te mogen meemaken."

Er valt een gespannen stilte in de kamer. Maar dan is het Betty die op haar eigen bescheiden manier de draad van het gesprek weer opneemt.

„Als Marijke er nog was geweest, zou zij hierover net zo hebben gedacht als wij, Tineke! Zij heeft je niet voor niets gevraagd onze dochter in je hart te sluiten. En omdat zij jou beter kende dan wij, moet zij hebben geweten dat je inderdaad in het leven van ons kindje de plaats zou kunnen innemen die zij zichzelf nog zo graag had gegund. Ik begrijp dat je daarvoor over een drempel heen moet stappen die op dit moment voor je gevoel te hoog is, maar denk er nog even over na, dan ga je misschien toch anders tegen ons verzoek aankijken."

Even heeft Tineke het gevoel alsof Marijke zelf in de kamer aanwezig is.

Opnieuw hoort zij haar fluisteren: „Een wonder! Ik kreeg mijn kind terug… en jullie liefde zal hem rijker maken dan hij ooit is geweest." Het is de herinnering aan dat onvergetelijke moment waardoor het ineens tot haar doordringt dat haar weerstand regelrecht indruist tegen de hoge verwachtingen die Marijke op dat moment van hen had. Zwijgend kijkt zij een ogenblik de kleine kring rond totdat haar oog blijft rusten op Job, die zich kennelijk heeft voorgenomen haar in geen geval te pressen tot het doen van dingen die haar geestelijke draagkracht te boven gaan. Daarom veert hij verrast op als hij, door het veelzeggende knikje dat zij hem geeft, merkt dat zij toch van gedachten is veranderd.

„Je hebt gelijk, Betty," hoort hij haar wat beschaamd verklaren. „Ik besef dat ik het niet kan maken om het vertrouwen dat Marijke in Job en mij stelde te beschamen. Maar ik had er geen moment bij stilgestaan dat jullie mij zoiets zouden vragen en daarom raakte ik even in de war."

„Dus je doet het?" Het is er bij Betty zo opgelucht uitgekomen dat Freek zich gedrongen voelt om Tineke te verzekeren dat hij wel begrip heeft voor haar aanvankelijke aarzeling.

„Het is misschien goed om je te realiseren dat Marijke niets liever wilde dan dat jullie huis voor ons een thuis zou worden waar wij met ons drietjes altijd terechtkunnen. En als dat ook jullie wens is, dan ligt het toch voor de hand dat onze dochter Job en jou straks gewoon als haar oma en opa gaat zien!"

„Meen je dat nou?"Ademloos kijkt Tineke van de een naar de ander. „Natuurlijk menen wij dat," valt Betty Freek bij. „Ik vind zelfs dat wij helemaal niet moeten praten over straks maar jullie vanaf nu zo moeten beschouwen. Ik denk dat het dan ook voor jou anders aanvoelt Tineke, als je op die bewuste zondagmorgen een kindje de kerk binnenbrengt dat niet alleen van ons maar ook van Job en jou is."

Het enige wat Tineke nog weet te doen is zowel Freek als Betty sprakeloos van verrassing te omhelzen. De vanzelfsprekendheid waarmee deze twee jonge mensen hen in hun gezinsleven betrekken, laat ook Job niet onberoerd.

„Zelf zouden wij nooit op die gedachte zijn gekomen," laat hij hun hoofdschuddend weten. „Voor Tineke en mij stond het gewoon vast dat wij ons leven lang op elkaar aangewezen zouden zijn. En nu…"

Op dat moment glijdt zijn blik naar Tineke, die hem met een dankbare glans in haar ogen toeknikt. „Nu heeft onze toekomst ineens een heel ander perspectief gekregen!" Die laatste woorden zijn er bijna juichend uitgekomen, hoewel hij zich wel realiseert dat deze onverwachte gang van zaken onlosmakelijk verbonden is met de gebeurtenissen die zich het afgelopen jaar in hun leven hebben voorgedaan.

Aan dit feit moet Tineke opnieuw denken als zij enkele weken later op zondagmorgen met de kleine Marijke op de arm klaar staat om haar zo dadelijk het overvolle kerkgebouw binnen te dragen waar de doopplechtigheid zal plaatsvinden.
Vlak voor het begin van de dienst had Freek haar nog laten weten dat hij onder de aanwezigen ook Bea en Peter had ontdekt. „Samen?" Even had hij geglimlacht om haar verbaasde uitroep. „Ze zaten in ieder geval naast elkaar, maar dat hoeft natuurlijk niet te betekenen dat alles weer koek en ei is tussen die twee, al heb ik wel gemerkt dat zij wat minder fel zijn geworden in het verdedigen van hun standpunten ten opzichte van Ton."
„Bij de begrafenis van Marijke waren zij er ook wel, maar volgens mij deden zij toen nog alle moeite om elkaar bewust te ontlopen," wist Tineke hem nog te vertellen voor hij zich weer bij Betty had gevoegd.
Op dit moment kan Tineke echter alleen nog denken aan het ophanden zijnde gebeuren waarbij zij zo persoonlijk betrokken is geraakt. Nerveus verschikt zij nog even iets aan het doopjurkje van de kleine Marijke, die intussen klaar wakker is geworden, maar haar rustig laat begaan. Als, na een kort voorspel van het orgel, de aanwezigen in de kerk echter zijn gaan zingen en de koster haar een wenk geeft dat het moment is gekomen waarnaar zij met zoveel gemengde gevoelens heeft uitgezien, is het alsof er een gevoel van ongekende rust in haar neerdaalt. „Laat Hem besturen, waken," klinkt het als een vreugdezang door het kerkgebouw, „'t is wijsheid wat Hij doet, zo zal Hij alles maken dat g'U verwond'ren moet…"
Terwijl Tineke met een glans van geluk in haar ogen het warme kinderlijfje liefdevol tegen zich aangedrukt de kerk binnenstapt, beseft zij ineens hoe goed het is geweest dat Job heeft voorgesteld juist dit lied bij de binnenkomst van de

dopeling te laten zingen. Het is alsof zij in een flits het beeld van Marijke ziet, die tijdens haar laatste verjaardag bekende dat dit haar lievelingslied was waarvan zij zich tijdens haar lang niet gemakkelijke leven nooit had kunnen en willen losmaken.

Die overbekende woorden winnen nu ook voor Tineke aan betekenis. Dit is inderdaad een wonder!" golft het door haar heen. Op een totaal onverwachte manier is dit kindje bij ons gaan horen.

Als zij de kleine Marijke even later met een glimlach aan Betty overdraagt en haar plaats naast Job inneemt, legt zij met een impulsief gebaar haar hand in de zijne, die hij als teken van begrip een ogenblik lang in de zijne sluit.

Omdat zij er 's middags alle tijd voor uittrekken om op deze bijzondere dag een speciale bloemengroet naar Marijkes graf te brengen, vinden zij pas tegen de avond gelegenheid om in de beslotenheid van hun eigen huis alle gevoelens die zij de afgelopen uren te verwerken hebben gekregen, met elkaar te delen.

„Als ik destijds geen gevolg had gegeven aan die onverklaarbare drang om Marijke nog één keer te kunnen ontmoeten, zouden wij deze verandering in ons leven nooit hebben beleefd," stelt Job peinzend vast. „Nu je erachter staat besef je pas dat alles wat je meemaakt nodig is om als mens tot je bestemming te komen."

Met gefronst voorhoofd staart Tineke voor zich uit. Voor haar gevoel lijkt er toch nog iets aan zijn constatering te ontbreken. Na een ogenblik te hebben nagedacht voegt zij er aarzelend haar eigen mening aan toe.

„Ik denk dat de dingen in je leven pas op hun plaats vallen als je de stem van je innerlijk volgt, Job. Als ik destijds mijn poot stijf had gehouden en enkel rekening was blijven houden met mijn frustraties over jouw hernieuwde contact met Marijke, zou ons geluk nooit de kans hebben gekregen zich op zo'n uitzonderlijke manier te verdiepen."

Het is de telefoon die hun gesprek onderbreekt.

„Peter!" roept Tineke duidelijk verrast uit.

„Jazeker!" grapt hij, „je moet maar denken: hoe later op de avond hoe schoner volk."

„Je was er ook hè, vanmorgen," laat Tineke hem spontaan delen in haar vreugde over het verloop van de dienst, die zij als een persoonlijk geschenk van Boven heeft beleefd.

„Ik zou de moed niet hebben gehad om thuis te blijven." In Peters stem keert op slag de ernst terug. „Freek heeft, ondanks de spanningen die hij zelf de laatste tijd heeft moeten verwerken, zoveel voor Bea en mij betekend! Maar pas sinds het heengaan van Marijke zijn wij tot de slotsom gekomen dat het leven te kostbaar is om er met elkaar zo'n puinhoop van te maken. Ik denk dat ik mijn flatje maar weer probeer te verkopen om onze relatie een nieuwe kans te geven."

„Je meent het! Dat is geweldig, Peter!" Tineke kan er niet over uit hoe blij ze is met dit nieuws.

„Ook voor Ton zal dat, naar ik hoop, een stimulans zijn om om jullie niet meer tegen elkaar uit te spelen, want juist dat gehakketak tussen jullie over zijn manier van leven gaf hem de kans zijn eigen gang te blijven gaan."

„Tja…" Het lijkt alsof Peter niet zo goed weet wat hij daarop moet antwoorden. Dat geeft Tineke even de gelegenheid Job te peilen wat hij ervan vindt om Peter uit te nodigen voor een hapje en een drankje. Na Jobs „Natuurlijk!" brengt zij Peter de uitnodiging over. „Dan kunnen we nog even bijpraten."

De gretigheid waarmee Peter daar op ingaat bezorgt Tineke onwillekeurig een gevoel van ontroering.

„Je bedoelt alleen?" Dat zijn vraag een verwijzing naar Bea inhoudt beseft zij maar al te goed. „Daar geef ik niet eens antwoord op," laat zij hem quasi verontwaardigd weten.

Peters verontschuldigend lachje laat aan duidelijkheid niets te wensen over. „Na alles wat wij vanmorgen hebben beleefd zal het vast niet moeilijk zijn om Bea over te halen op jullie uitnodiging in te gaan."

Nadat Tineke de telefoon heeft neergelegd begint zij gelijk in de keuken haar koelkast te inspecteren om haar aan Peter gedane belofte waar te kunnen maken. Voor het eerst sinds maanden realiseert zij zich dat het leven haar het afgelopen jaar innerlijk niet alleen rijker maar vooral sterker heeft gemaakt. Het verdriet om Marijkes heengaan blijft weliswaar voelbaar en de leegte die dat niet alleen voor Job en haar, maar ook in het gezinnetje van Betty en Freek met zich heeft meegebracht, valt niet te verdoezelen. Maar via haar hebben zij, elk op hun eigen manier, leren begrijpen dat alles wat je gelukkig kan maken in het leven daarin al aanwezig is, als je jezelf de ruimte geeft naar je hart te luisteren.

En dat besef wil zij voor geen goud meer kwijt, omdat zij weet dat dat aan haar eigen bestaan en aan dat van hen die haar lief zijn geworden, zin zal blijven geven!